ペーパーレス化を促進

仕事で役立つ！

PDF 完全マニュアル

[第2版]

桑名由美 著

秀和システム

※本書は2022年5月現在の情報に基づいて執筆されたものです。
本書で紹介しているソフトやサービスの内容などは、告知無く変更になる場合があります。あらかじめご了承ください。

■**本書の編集にあたり、下記のソフトウェアを使用しました**
・Windows 11
・iOS 15.4
・Android 12

上記以外のバージョンやエディションをお使いの場合、画面のタイトルバーやボタンのイメージが本書の画面イメージと異なることがあります。また、Android端末は、機種や携帯キャリアによって画面や操作が違う場合があります。

■**注意**
(1) 本書は著者が独自に調査した結果を出版したものです。
(2) 本書は内容について万全を期して作成いたしましたが、万一、ご不備な点や誤り、記載漏れなどお気付きの点がありましたら、出版元まで書面にてご連絡ください。
(3) 本書の内容に関して運用した結果の影響については、上記(2)項にかかわらず責任を負いかねます。あらかじめご了承ください。
(4) 本書の全部、または一部について、出版元から文書による許諾を得ずに複製することは禁じられています。
(5) 本書で掲載されているサンプル画面は、手順解説することを主目的としたものです。よって、サンプル画面の内容は、編集部で作成したものであり、全て架空のものでありフィクションです。よって、実在する団体・個人および名称とはなんら関係がありません。
(6) 商標
本書で掲載されているCPU、ソフト名、サービス名は一般に各メーカーの商標または登録商標です。なお、本文中では™および®マークは明記していません。
書籍中では通称またはその他の名称で表記していることがあります。ご了承ください。

本書の使い方

このSECTIONの目的です。

このSECTIONの機能について「こんな時に役立つ」といった活用のヒントや、知っておくと操作しやすくなるポイントを紹介しています。

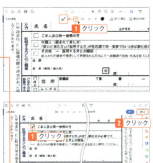

操作の方法を、ステップバイステップで図解しています。

用語の意味やサービス内容の説明をしたり、操作時の注意などを説明しています。

はじめに

　「ペーパーレス」「脱ハンコ」「電子署名」……このような言葉を頻繁に耳にするようになりました。働き方改革や新型コロナウィルス感染症対策としてのテレワーク導入などで、紙文書を電子化する企業が増えてきたということです。それにともない、「電子帳簿保存法」の法律改正も行われ、従来当たり前のように行っていた紙の領収書の受け取りや、紙の契約書への署名・押印も廃止されつつあります。
　とはいえ、国税関係の書類やビジネス上の取引書類では、改ざんやなりすましを防がなければいけません。そこで、セキュリティに強いPDFが使われています。

　そのPDFの使い方を解説しているのが本書です。PDF関連のソフトはいろいろありますが、人それぞれ用途や目的によって求めるものが違うはずです。そこで、PDFソフトで有名なAcrobat Reader DCをはじめ、フリーソフト、オンラインサービス、有料のAcrobat DCなど、さまざまなアプリやサービスの使い方を解説しました。
　また、PDFはスマホでも使うことができ、特に目の前にある紙文書をPDFにしたいときに便利です。ただ、何枚もPDF化する時は、やはりスキャナーの方が便利なので、人気のスキャナー「ScanSnap」を例にして使い方を紹介しています。
　さらに、徐々に浸透してきた電子取引や電子契約についてChapter10に載せました。電子印鑑や電子契約サービスについて、利用したことがない人のために、わかりやすく解説しています。
　今後も、ビジネスではもちろん、プライベートでも、PDFを使う機会が増えていくでしょう。PDFをフル活用するために、本書をご一読いただければ幸いです。

　最後になりましたが、今回の執筆にあたって、多くの方にお世話になりました。スキャナーを貸していただいた株式会社PFU様をはじめ、ご教示いただいたメーカーの皆様、巻末のSPECIALにご協力いただいた株式会社TREASURYの松下周平様と合同会社逆旅出版の中馬さりの様、秀和システム編集部の皆様、すべての方に、この場をお借りして御礼申し上げます。

2022年5月
桑名由美

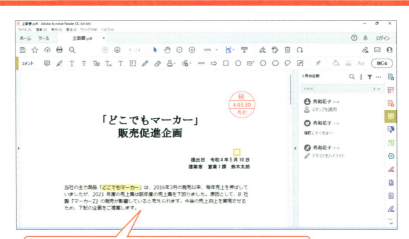

PDF用のソフトとして一番使われている「Acrobat Reader DC」の使い方を詳しく解説。検索や書き込みなどの便利な使い方がわかる

PDFの売上表をExcelに貼り付けたり、PDF文書をWordで編集したり、Wordでしおり付きのPDFを作成するなど、仕事で便利な使い方も紹介

ペーパーレス化が進んで近ごろ増えてきた、電子取引や電子契約で使われる押印や署名について、ツールやサービスの基本的な使い方も解説

目次

本書の使い方 …………………………………………………… 3
はじめに ………………………………………………………… 4

Chapter01　PDFの特徴やできることについて知ろう ……… 15

SECTION 01-01　ビジネス文書の定番「PDF」は、どのようなファイル？ …… 16
　　　　　　　　PDFは紙文書の電子化に欠かせないもの
　　　　 01-02　PDFを使うメリットは？ …………………………………… 18
　　　　　　　　読み手の状況に依存せず、セキュリティ対策もできる
　　　　 01-03　代表的なPDF閲覧／作成／編集ソフト ………………… 20
　　　　　　　　閲覧と編集、どちらをメインにするかで使うソフトが異なる

Chapter02　Acrobat Reader DCでPDFを閲覧しよう ……… 23

SECTION 02-01　Acrobat Reader DCをインストールする ……………… 24
　　　　　　　　アドビ社のホームページからダウンロードできる
　　　　 02-02　PDFを開く ………………………………………………… 26
　　　　　　　　目的のファイルをダブルクリックすればAcrobat Reader DCが起動する
　　　　 02-03　Acrobat Reader DCの画面構成 ………………………… 28
　　　　　　　　画面の上や横のメニューから目的の操作を選ぶ
　　　　 02-04　ページを左右見開きで表示する ………………………… 29
　　　　　　　　図やイラストが多い文書は、見開きの方が見やすい
　　　　 02-05　ページ単位でめくって読む ……………………………… 30
　　　　　　　　1ページずつ、クリックやスクロールで閲覧する
　　　　 02-06　ツールバーとツールパネルウィンドウを表示させずに
　　　　　　　　読む …………………………………………………………… 32
　　　　　　　　画面の上部と横のメニューが邪魔で、一度に表示される部分が狭い時に
　　　　 02-07　ページを拡大して見る …………………………………… 33
　　　　　　　　ページ全体だけでなく、一時的に特定の箇所のみ拡大することもできる
　　　　 02-08　画面いっぱいに表示させる ……………………………… 34
　　　　　　　　文書全体を、できるだけ大きく表示したい時に
　　　　 02-09　手で動かすように、自在にスクロールする ……………… 35
　　　　　　　　拡大した画面を、タテ／ヨコ／斜めに自由に動かせて便利
　　　　 02-10　ページコントロールをツールバーから切り離す ………… 36
　　　　　　　　こまめな表示倍率の変更などを、画面の下の方で操作したい時に
　　　　 02-11　サムネールを使ってページを移動する ………………… 37
　　　　　　　　目的のページを「見た目」から探せる
　　　　 02-12　しおりを使ってページを移動する ……………………… 38
　　　　　　　　本のしおりのように、大事なページをすぐに開ける

	02-13	特定のページへ素早く移動する	39
		参照先が多く、ひんぱんに前後に移動する資料や説明書などで	
	02-14	画面を自動的にスクロールする	40
		文字が少なめの文書で、全体をざっと確認したいときに	
	02-15	横向きになっている文書を縦に表示する	41
		スキャナーで読み取ったPDFファイルを見るときによく使う機能	
	02-16	PDFに添付されたファイルを開く	42
		閲覧だけでなく、添付されているファイルを自分用に保存できる	
	02-17	ファイルにスターを付けてすぐに使えるようにする	44
		大事なファイルをすぐに開ける	
	02-18	2つのPDFを比較しながら閲覧する	46
		ファイルを並べることで比較しやすくなる	
	02-19	PDFの中から特定の文字や単語を検索する	47
		WordやExcelと同じ要領で検索できる	
	02-20	注釈やしおりも範囲に含めて単語検索する	48
		注釈、テキストボックス、しおりなどからも検索できる	

Chapter03　Acrobat Reader DCでPDFを編集／加工／共有しよう　49

SECTION	03-01	申請書や履歴書に文字を入力する	50
		プリントして手書きしていた文書の負担が大幅に減る	
	03-02	楕円や矢印などの図形を描く	52
		コメントツールバーで図形を追加することもできる	
	03-03	手書きで文字を書き込む	54
		スキャンしてPDF化した文書などに便利	
	03-04	質問事項などにチェックマークを付ける	55
		申請書などの記入時に特に役立つ	
	03-05	文章にマーカーや打消し線を引く	56
		大事な部分を強調したり、間違っている部分を線で打ち消せる	
	03-06	PDFの文書に写真などの画像を追加する	58
		レイアウトを崩さずに、文書の上に画像を貼り付けることができる	
	03-07	特定の箇所にコメントを入れる	59
		アイコンなので文書の邪魔にならず、複数人でやりとりもできる	
	03-08	他の人のコメントに返信する	60
		コメントごとに、やりとりが時系列で表示される	
	03-09	ExcelなどのファイルをPDFに添付する	62
		Excel以外にも、メールで送るようなファイル形式はたいてい添付できる	
	03-10	PDFの文章や画像をコピーして他のファイルに貼り付ける	64
		画像をペイントなどに貼り付けることで保存もできる	

	03-11	一部分を画像にして他のファイルに貼り付ける	66
		画像にしたい箇所をドラッグで任意に選べる	
	03-12	PDFの文章を取り出してテキストファイルにする	67
		ドラッグしてコピペしなくても、文書全体のテキストを抜き出せる	
	03-13	「非公開」や「完了」のスタンプを入れる	68
		PDFの文書にも「非公開」や「完了」のゴム印のように入れられる	
	03-14	PDFを白黒印刷する	69
		カラーの写真と白黒の図が混在している文書をきれいに印刷できる	
	03-15	PDFを印刷して小冊子にする	70
		二つ折りにして綴じれば本のようになる	
	03-16	1枚の用紙に複数ページを印刷する	72
		PowerPointの「配布資料」に近いイメージの印刷ができる	
	03-17	ものさしツールを使う	73
		図面にあるオブジェクトの長さや面積を測れる	
	03-18	アドビアカウントを取得する	74
		無料で取得でき、アドビのクラウドが使える	
	03-19	Adobe Document CloudにPDFを保存する	76
		クラウドに保存しておけば、会社でも外出先でも見られる	
	03-20	PDFファイルを他の人と共有する	78
		複数人でファイルを共有できるのでリモートワークで役立つ	
	03-21	コメントにメンションを使う	80
		特定の人に向けてのコメントができる	

Chapter04　無料ソフトでPDFを作成／編集しよう　81

SECTION	04-01	ペイントで作成したイラストやワードパッドの文書などをPDFにする	82
		Windowsなら、専用ソフトが無くても簡単に変換できる	
	04-02	WebページをPDFファイルとして保存する	84
		更新頻度のあまり高くないWebページに向いている	
	04-03	Webページの一部分をPDFにする	86
		画像ファイルにしてからPDFにするより簡単	
	04-04	メールをPDFファイルとして保存する	87
		ひんぱんに見返す重要メールをPDFで保管	
	04-05	横向きになっているページを縦向きにして保存する	88
		スキャナーで読み取ったPDFで特に役立つ	
	04-06	作成者やタイトルなどの情報を修正する	90
		第三者にPDFを渡すとき、自分の情報を出したくない場合に	
	04-07	PDFにパスワードを設定する	91
		社外秘のPDFにパスワードを付けてセキュリティを強化する	

	04-08	印刷やコピーができないようにする ……………… 92
		請求書や契約書などでよく使う設定
	04-09	複数のPDFを結合して1つのファイルにする ……………… 93
		WordからのPDFとスキャナーからのPDFなどを合体できる
	04-10	後から別のPDFを差し込んでページを追加する ……………… 94
		Wordで作成したPDF資料にExcelをPDFにして
		差し込みたいときなどに
	04-11	特定のページだけを取り出してファイルを作成する ……… 95
		資料や報告書の中から1ページだけを抜き出して保存できる
	04-12	ファイル内の特定のページを削除する ……………… 96
		ページ数が多い資料でも、実際必要なのは数ページといったときに
	04-13	写真やイラストなどを1つのPDFにする ……………… 97
		多数の関連画像がある資料などを、スッキリまとめたい時に
	04-14	ヘッダーやフッターを追加する ……………… 98
		資料の隅に、ページ番号やタイトルなどを入れられる
	04-15	白黒のPDFを作成する ……………… 99
		印刷時のインクを節約したいときに
	04-16	しおりを作成する ……………… 100
		重要なページやよく見るページをすぐ開けるようにできる
	04-17	Webページや他のファイルへのリンクを設定する ……… 102
		参照してほしいWebページがある場合は、必ずリンクを入れよう
	04-18	Microsoft EdgeでPDFに書き込む ……………… 104
		ブラウザー上で自由に書き込めて保存もできる
	04-19	入力欄のあるPDF文書を作成する ……………… 106
		PDFでアンケートフォームや申請書などを作れる

Chapter05　オンラインサービスを活用しよう ……………… 109

SECTION	05-01	オンラインでPDFに変換する ……………… 110
		共用のパソコンで、勝手にソフトをインストールできない場合などに
	05-02	オンラインでPDFをWordやExcel形式に変換する … 114
		WordやExcel形式にすることで、PDFを修正できる
	05-03	オンラインでページを回転させる ……………… 115
		Acrobat Reader DCでは回転した状態を保存できない
	05-04	オンラインでPDFに文字や画像などを追加する ………… 116
		外出先でもPDF文書のチェックや書き込みができる
	05-05	オンラインでPDFファイルを分割する ……………… 118
		分割→修正→統合すれば、特定のページだけのPDFができる
	05-06	オンラインでページを抽出する ……………… 120
		必要なページだけを送りたい時に

05-07	オンラインでPDFを結合する		121
	ばらばらになっているPDFファイルを1つにまとめられる		
05-08	オンラインでページを並べ替える		122
	ページの順序を並べ替えたい時に		
05-09	オンラインでページを削除する		123
	ページ数が多いPDFに不要なページがあるときは削除する		
05-10	オンラインでPDFを画像ファイルにする		124
	ページ全体を画像にしてWord文書に貼り付けたい時に		
05-11	オンラインでPDFにページ番号を入れる		125
	配布するPDFに欠かせないページ番号を簡単に追加できる		
05-12	オンラインでファイルサイズを小さくする		126
	画像が多いPDFファイルだと、サイズが大きくなりがち		
05-13	オンラインでパスワード付きPDFにする		127
	パスワードで大事なファイルを保護する		
05-14	オンラインでPDFに署名を入れる		128
	PDF文書に手描きのサインを入れられる		
05-15	GoogleドライブにPDFを保存する		130
	Officeソフトと互換性のあるファイルもネット上で作成できる		
05-16	GoogleドキュメントでPDF文書を作成する		132
	WordファイルをGoogleドキュメントで編集し、PDFにもできる		
05-17	GoogleドキュメントでPDFの文字認識を行う		133
	画像データとして認識されるPDFからも文字を抜き出せる		
05-18	GoogleドライブのPDFを他の人と共有する		134
	Googleのアカウントを持っていない相手にも見てもらえる		
05-19	GoogleドライブのPDFを特定の人だけに見せる		136
	臨時で見せるならリンク、継続的な共有ならこの方法がおすすめ		
05-20	PDFをDropboxに保存して他の人と共有する		138
	パソコンのバックアップ用としても重宝される人気サービス		
05-21	DropboxやGoogleドライブをAcrobat Reader DCと連携させる		141
	連携すればAcrobat Reader DCからDropbox内のPDFを閲覧、編集できる		

Chapter06 スマホでもPDFを使おう …… 143

SECTION	06-01	スマホでPDFを開く	144
		無料のAcrobat Readerアプリがある	
	06-02	スマホのメールに添付されたPDFを開く	147
		取引先に見せたい資料を忘れて外出してしまっても安心	
	06-03	LINEでPDFを送る	148
		ビジネスで使われることも多くなったLINEも活用	

06-04	スマホで閲覧しているWebページをPDFにする	149
	ブラウザからそのままPDFにできるので便利	
06-05	スマホで紙文書をPDFにする	150
	スマホのカメラをスキャナーとして使い、PDFにできる	
06-06	スマホでPDFに文字を入れたり、マーカーを引く	152
	パソコン版のAcrobat Reader DCにある機能を使える	
06-07	スマホでチェックマークを付ける	154
	チェックを付けたい箇所をタップするだけで入力できる	
06-08	スマホで署名を入れる	155
	スマホなら画面に手書きしてサインができる	
06-09	スマホのドキュメントアプリで文書を作成してPDFにする	156
	スマホでPDFの文書を一から作成するときに活用しよう	
06-10	DropboxとAcrobat Readerを連携する	158
	Acrobat ReaderからDropbox内のPDFを閲覧、編集できる	
06-11	スマホのWordアプリで文書を作成してPDFにする	160
	使い慣れたOfficeソフトのスマホ版なら作業しやすい	
06-12	PDFをコンビニでプリントする	162
	あらかじめプリントサービスのアプリをインストールしておく	
06-13	Acrobat Readerアプリを有料で使う	164
	細かい編集や、分割/統合などを行うには有料プランを使う	

Chapter07 スキャナーを使ってPDFを活用しよう … 167

SECTION 07-01	スキャナーのタイプと特徴	168
	タイプが豊富なScanSnapシリーズが代表的	
07-02	透明テキストとは	170
	文字が「画像」として認識されるときの処理「OCR」	
07-03	スキャナーで紙の資料をPDFにする	171
	ペーパーレス化で場所を取らず、大量の資料を保管できる	
07-04	複合機でスキャンする	172
	あまり頻度が高くなければ、プリンターの複合機でも十分	
07-05	モバイルスキャナーで読み取る	173
	大きめの資料などで、スマホではスキャンしづらいときに便利	
07-06	写真をPDFにする	174
	整理するだけでなく、紙が劣化する前の状態を保存できる	
07-07	領収書やレシートをPDFにする	175
	複数枚をまとめて一つのPDFにできる点も便利	
07-08	紙の領収書をスキャンしてクラウドに保存する	176
	経費の領収書も電子化して一括管理	

	07-09	新聞の切り抜きや非定型サイズの原稿をPDFにする	180
		キャリアシートを使って読み取る	
	07-10	本や雑誌をPDFにする	183
		本などを裁断してデジタル化する	
	07-11	PDF化した本を読む	184
		Kindleでは、自作のPDFファイルも閲覧できる	

Chapter08　仕事でPDFを活用しよう　187

SECTION	08-01	Wordで作成した報告書をPDFにする	188
		PDFを作成する方法としては、最も一般的	
	08-02	Excelで作成した表やグラフをPDFにする	190
		売上実績表や請求書などで、特によく使う	
	08-03	WordでPDFの文字を編集する	191
		WordからPDFを開けば、文字を修正できる	
	08-04	PDFの資料にある写真をWord文書に貼り付ける	192
		多少画質が落ちるが、Wordへ貼り付け後保存もできる	
	08-05	PDFの売上表をExcelに貼り付ける	193
		Wordを併用することで、ほぼそのままExcelに再現できる	
	08-06	Wordでしおり付きのPDFを作成する	194
		Acrobatなどの編集ソフトがなくてもしおりを付けられる	
	08-07	Acrobat Reader DCとPDFを使ってプレゼンをする	196
		PowerPointのスライドショーに近いことができる	
	08-08	会議でのホワイトボードの書き込みをPDFにする	198
		議事録と一緒に参加者に送れば、より分かりやすい	
	08-09	仕事でもらった名刺をPDFにする	200
		1件ずつパソコンの連絡先などに入力するよりずっと楽	
	08-10	ネット上の役立つ情報をまとめてPDFにする	202
		ネットの記事などをスクラップブックのようにまとめられる	

Chapter09　有料のAcrobat DCを使ってみよう　203

SECTION	09-01	Acrobat DCの有料プランとは	204
		無料のAcrobat Reader DCにはない、多くの編集機能が使える	
	09-02	Acrobat DCでWordの文書をPDFに変換する	205
		Wordに追加される「Acrobat」タブから変換できる	
	09-03	スキャンした文書を編集する	206
		Wordで開いて編集する方法との違いは、文字認識の正確さ	
	09-04	PDFをWordやExcel形式にする	207
		Wordを経由せずに、ExcelやPowerPointに変換	

	09-05	PDFを分割 / 抽出する	208
		複数の無料ソフトを使い分けていた作業が、Acrobat DCだけでできる	
	09-06	複数のPDFを1つのファイルにする	209
		PDF以外のファイルも含めて結合できる	
	09-07	ファイルサイズを縮小する	210
		画像が多く入っているPDFで行うと効果的	
	09-08	他のWebページやファイルへのリンクを設定する	211
		範囲を選択して自由にリンクを設定できる	
	09-09	ヘッダー・フッターを追加する	212
		資料名や会社名、ページ番号などを入れられる	
	09-10	「社外秘」や「非公開」などの透かしを入れる	214
		角度や不透明度などを自由に調整できる	
	09-11	PDFに音声や動画を入れる	215
		文字や画像だけでは表現できない場合に役立つ	
	09-12	2つのPDFの差分を確認する	216
		データ量の多い資料でもすぐに差分を調べられる	
	09-13	フォームを作成する	217
		元になるデータを用意しておくと簡単に作れる	
	09-14	機密情報を塗りつぶす	221
		個人情報や機密情報を隠して、外部に資料を送れる	
	09-15	印刷やコピーができないようにする	222
		請求書や受領書のPDFでも役立つ	
	09-16	PDFにパスワードを設定する	224
		印刷・コピー不可とセットにしてセキュリティを高めよう	

Chapter10　電子取引や電子契約でPDFを使おう　225

SECTION	10-01	日付の電子印鑑を押印する	226
		実物のゴム印のように押印できる	
	10-02	簡単に名前の電子印鑑を押印する	227
		Acrobat Reader DCで名前の印鑑を押せる	
	10-03	実物の印鑑と同じように押印する	228
		文字の上にも押せる印鑑を作成する	
	10-04	手書きの署名を入れる	234
		手描きの署名を求められてもAcrobat Reader DCで簡単に入れられる	
	10-05	デジタル署名を付与する	236
		なりすましや改ざん防止の文書をすぐに送りたい時に	
	10-06	デジタル署名を検証する	242
		署名者本人であることと、改ざんされていないことをチェックする	
	10-07	Acrobat DCで電子契約書への署名を依頼する	245
		アドビ社の電子契約サービスならAcrobat上で操作できる	

	10-08	Acrobatオンラインサービスで電子契約書への署名を依頼する	250
		アドビ社のオンラインサービスでも署名依頼ができる	
	10-09	Acrobat DCでデジタル署名を依頼する	252
		設定を変えることでデジタル署名を使える	
	10-10	Great Signで電子契約書への署名を依頼する	256
		誰にでもわかりやすい画面で契約締結や契約書管理ができる	
	10-11	クラウドサインで電子契約書への署名を依頼する	260
		契約締結から契約書管理まで可能なクラウド型電子契約サービス	

Chapter11　PDFで「困った！」「もっと便利に使いたい！」人のためのQ＆A　267

SECTION	11-01	PDFのアイコンが変わってしまった	268
		複数のPDFソフトをインストールしていると起きる現象	
	11-02	既定とは別のソフトでPDFファイルを開きたい	269
		EdgeやAcrobat以外のソフトを常に使いたいときに	
	11-03	PDFの一部が文字化けする	270
		自分のパソコンに該当するフォントが無いと起こりやすい	
	11-04	WordやExcel文書をPDF化したときにリンク先へ移動できない	271
		Windowsの印刷機能で変換するとリンクが解除されてしまう	
	11-05	PDFのファイルサイズが大きすぎてメールで送信できない	272
		圧縮機能のあるソフトでサイズを小さくしよう	
	11-06	文章のコピーやキーワード検索ができない	273
		コピー不可の設定や、OCR処理がされていないことが原因	
	11-07	PDFの印刷ができない	274
		印刷不可に設定されているか、プリンターの問題	
	11-08	PDFを開くと「保護されたビュー」と表示される	275
		安全性が低いファイルに「保護モード」が適用されることが原因	
	11-09	PDFにあるリンク先がブロックされる	276
		信頼性が低いと見なされたサイトがブロックされている	

SPECIAL	プロに聞く「はんこレス・ペーパーレス化推進のポイント」	277

用語索引　293

Chapter 01

PDFの特徴や
できることについて知ろう

ビジネスでは、PDF（ピーディーエフ）が頻繁に使われています。ホームページ上でもPDFのページがあるので、一度は開いたことがある人もいるはずです。そもそもPDFとはどのようなものなのでしょうか。どんなメリットがあるのでしょうか。Chapter02以降で操作方法を説明しますが、その前にPDFの概要について理解しておきましょう。

ビジネス文書の定番「PDF」は、どのようなファイル？

PDFは紙文書の電子化に欠かせないもの

仕事では「PDFファイル」の資料を受け取ったり、送ったりする機会がよくありますが、そもそもPDFとはどのようなファイルでしょうか？WordやExcelではなく、PDFが使われる理由は？ここでは、PDFの特徴や、どのようなシーンで使われるのかについて説明します。

PDFは電子文書のフォーマット

　PDF（Portable Document Format）は、アドビが開発した電子文書のフォーマットです。紙文書の場合、データが増えれば増えるほど積み重なり、保管場所に困ります。また、用紙代やインク代などがかかるため経済的ではありません。そこで、PDFを使って書類を電子化すれば、パソコンで閲覧ができるので、保管場所に困らなくなります。だれかに書類を渡したいときは、わざわざ印刷したりFAXで送ったりしなくても、メールに添付して送ったり、クラウドで共有したりすることができるのです。

請求書や契約書など紙で保管

「PDFファイル」にすれば、パソコンやスマホに保存しておける

PDFは、スマートフォンやタブレットにも対応しています。パソコンよりも画面が小さいですが、レイアウトをくずさずに正確に表示されます。

　閲覧だけではありません。パソコンのAcrobat Reader DCと同じように大事な箇所に線を付けたり、文字を入れたりなどもできます。急ぎの資料などでも、その場で書き込んでメールで送れるのでとても便利です。

▲PDFはタブレットでも使える

▲PDFはスマホでも使える

　PDFを閲覧するためのソフトは無料で配布されていて、インターネット上からダウンロードできます。仮に専用のソフトがインストールされていなくてもブラウザーでも開けます。費用もパソコン環境も気にせずに利用できることから、公的機関の申請書や電気製品の説明書、大学の入試要項などさまざまなシーンで活用されています。

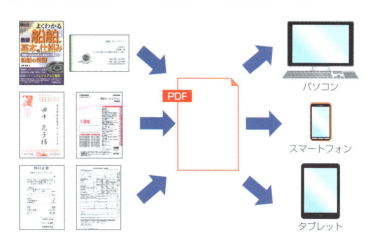

PDFを使うメリットは？

読み手の状況に依存せず、セキュリティ対策もできる

PDFは、ビジネス以外でもいろいろな場所で普及しています。例えば役所や学校といった、申請書などを扱っているところで使われることも多々あります。何故これほどまでに、PDFが使われるようになったのでしょうか。それは他のファイル形式や紙文書にはないメリットがあるからです。

使っているソフトの種類やバージョンに影響されない

例えば、画像の編集ソフトなどを使ってポスター作成するようなとき、それを確認してもらおうとメールで送ったら、「開けない」と言われてしまうことがあります。一般的に何かのソフトで作成したものは、相手のパソコンにも同じソフトがインストールされていないと開くことができません。対応した別のソフトで開ける場合もありますが、文字や画像が正しく表示されないといった問題が起きます。

また、たとえ同じソフトであっても、バージョンが違うと、新しいバージョンのファイルを古いバージョンのソフトで開けなかったり、文字や画像などの位置が変わり、レイアウトがくずれることもあります。

PDFの場合はそういったことがなく、相手が自分と同じソフトを持っていなくても開くことができます。しかも正確に表示されるので、わざわざ相手に「そのソフトがインストールされているか」「バージョンはいくつか」などを確認する必要はありません。

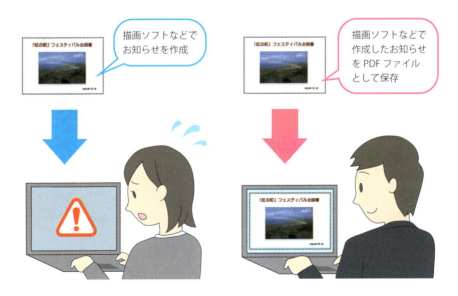

異なる形式のファイルを1つのファイルにまとめられる

例えば、顧客に商品情報と価格表を提出するとします。商品情報をWordで作成し、価格表をExcelで作成すると、2つのファイルを提出することになり、内容を確認する際には2つのソフトを起動しなければなりません。

このような場合、WordやExcelのファイルを1つのPDFにすれば、受け取った人は複数のソフトを立ち上げる必要がなく、一度に両方の内容を見ることができます。

セキュリティを設定できる

PDFには、ユーザーに権限がないと印刷や編集ができないように設定できます。パスワードを設定し、ファイルを開く際にパスワードを入力しないと開けないようにすることも可能です。社外秘や部外秘などの大事なファイルにセキュリティを設定することで、内容を見られたり、書き換えられたりなどを防ぐことができます。

▲ファイルを開くときにパスワードを入力するようにできる

キーワードを見付けやすい

調べたいことがある時、紙文書の場合は、目で追って目的の単語を探すことになるので見落としてしまうことがあります。また、大量の書類から単語を探し出す場合は、かなりの時間がかかってしまいます。PDFならキーワード検索ができるので、時間をかけずにすぐに見つかります。

▲キーワード検索で探せる

代表的なPDF閲覧／作成／編集ソフト

閲覧と編集、どちらをメインにするかで使うソフトが異なる

PDFは、Microsfot Edgeなどのブラウザーでも閲覧できますが、やはりPDF用の閲覧ソフトがあると便利です。また、PDFを作成・編集する場合は専用ソフトが必要となり、無料で使えるソフトもあれば有料のソフトもあります。さまざまなソフトがありますが、ここでは本書で扱うソフトを紹介します。

パソコン用ソフト

● Acrobat Reader DC（Chapter02、03）

PDFを開発したアドビが無料で提供しているPDFソフトです。PDFの表示、単語の検索、注釈の追加、署名など基本機能が揃っています。PDFを使うなら、インストールしておくべきソフトです。

● Acrobat Pro DC（Chapter09）

アドビの有料ソフトで、ファイルの結合や分割、透かしや墨消しなど、高度なPDFの編集ができます。申請書やアンケートで使われる入力フォームも作成できます。

● pdf_as (SECTION04-05～04-14)

PDFの結合・分割、ページの回転など便利な機能が備わっている無料ソフトです。シンプルな画面なので初心者でも簡単に操作できます。

● CubePDF (SECTION04-01)

他形式ファイルのPDFへの変換、パスワード設定、プロパティ編集などができる無料ソフトです。本書ではPDFへの変換操作の説明のみですが、同社の他の無料ソフトと組み合わせるとさまざまな編集ができます。

● Foxit PDF Reader (SECTION04-16～04-17)

PDFへの変換、見出しの作成、パスワード設定、プロパティ編集などができる無料ソフトです。さらに高度な編集が必要な場合は、同社の「Foxit PDF Editor」(有料)があります。

●Foxit PDF Editor (SECTION04-19)

　PDFの高度な編集ができる有料ソフトです。ファイルの結合や透かし、申請書やアンケートで使うフォームも作成できます。

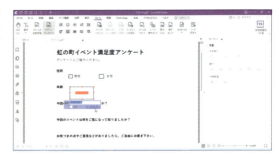

スマホ用アプリ

●Acrobat Reader
　（SECTION06-01～06-08)

　パソコン版のAcrobat Reader DCほどの機能はありませんが、文字を書き込んだりマーカーを引いたり、署名も入れられます。無料なので気兼ねなくインストールできます。

●Adobe Scan (SECTION06-05)

　アドビ社の無料で使えるスキャナアプリです。スマホのカメラを使って紙文書やホワイトボードなどの文字をPDFにできます。自動で文字認識もしてくれます。

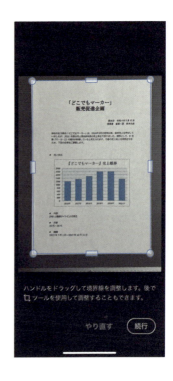

Chapter

02

Acrobat Reader DCで
PDFを閲覧しよう

PDF用のソフトとして一番使われているのがAcrobat Reader DCです。Acrobat Reader DCがあれば、PDFの閲覧に困ることがありません。本書では、Chapter02とChapter03でAcrobat Reader DCの解説をしますが、まずはこのChapterでPDFの閲覧方法を説明します。ページの開き方や検索などで便利な使い方があるので紹介しましょう。

02-01 SECTION

Acrobat Reader DCを
インストールする

アドビ社のホームページからダウンロードできる

Acrobat Reader DCがパソコンにインストールされていない場合は、ここでの説明を見ながらインストールしておきましょう。一度パソコンにインストールしておけば、次回以降はPDFファイルのアイコンをダブルクリックするだけで、自動的に起動してPDFが表示されます。

アドビ社のホームページにアクセスしてインストールする

1 アドビ社のサイト「https://get.adobe.com/jp/reader/」にアクセスし、「Acrobat Readerをダウンロード」をクリック。

2 ダウンロードが終わったら「開く」ボタンをクリック（Microsoft Edgeの場合）。「ユーザーアカウント制御」ダイアログが表示された場合は「はい」ボタンをクリック。

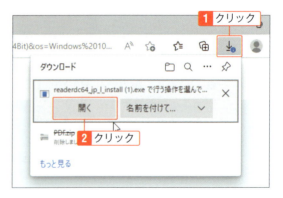

Acrobat Reader DCとは

PDFを開発したアドビのソフトで、誰でも無料でインストールして使えます。PDFの閲覧だけでなく、文字や図形の追加、ファイルの添付、署名なども可能です。さらに高度な編集をしたい場合は、有料プランの「Acrobat Pro DC」や「Acrobat Standard DC」の申し込みが必要です。

3 インストールが始まるので終わるまで待つ。

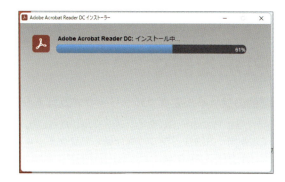

4 「終了」ボタンをクリック。

5 インストールが終わると自動的にAcrobat Reader DCが起動する。

02-02 SECTION

PDFを開く

目的のファイルをダブルクリックすればAcrobat Reader DCが起動する

Acrobat Reader DCをインストールしたら、PDFファイルを開いてみましょう。ファイルを開く方法は、「アプリを起動してファイルメニューから開く方法」と「アイコンをダブルクリックして開く方法」があります。

ファイルを開く

1 Acrobat Reader DCを起動して「ファイル」をクリックし、「開く」をクリック。

2 ファイルを選択し、「開く」ボタンをクリック。

3. ファイルが開いた。

> **ONE POINT** アイコンを使ったPDFファイルの開き方
>
> ドキュメントフォルダなどに保存してあるPDFファイルのアイコンは になっていて、ダブルクリックで開くことができます。なお、複数のPDFリーダーアプリがインストールされている場合は別のアイコンになっていることがあります。その場合は、アイコンを右クリックして、「プログラムから開く」から「Acrobat Reader DC」を選択すると使用できます。

ファイルを閉じる

1. タブの「×」をクリック。

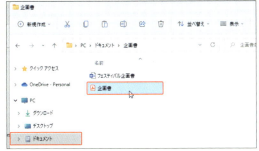

2. ファイルが閉じた。次回開くときは「ホーム」タブにある「最近使用したファイル」の一覧から選んでも開ける。

Acrobat Reader DCの画面構成

画面の上や横のメニューから目的の操作を選ぶ

Acrobat Reader DCの画面はシンプルな構成なので、PDFを閲覧するだけなら使い方を知らなくてもさほど困らないはずです。ただし、コメントを付けたり、マーカーを引いたりするときに、どこから操作したらよいか迷うこともあるので、ここで画面構成を確認しておきましょう。

Acrobat Reader DCの画面構成（ファイルを開いた状態）

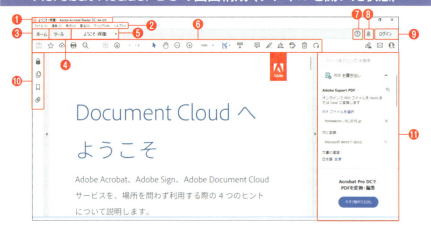

❶ **タイトルバー**：Acrobat Reader DCであることがわかります。ドラッグするとウィンドウを移動できます

❷ **メニューバー**：ここから一通りの操作ができます。非表示になった場合はキーボードの[F9]キーを押します

❸ **ホームタブ**：最近使用したファイルなど、ファイルを開くときに使います

❹ **ツールタブ**：各機能は「表示」メニューから操作できますが、ここからも選択できます

❺ **ファイルタブ**：今開いているファイルがあれば表示されます。複数開いている場合は、このタブをクリックして切り替えることができます

❻ **ツールバー**：よく使う機能がボタンで並んでいます。非表示になっている場合はキーボードの[F8]キーを押します。本書ではツールバーを表示させて解説します

❼ **ヘルプ**：わからないことがあったときにクリックするとヘルプのページを開けます

❽ **通知**：アドビからのお知らせがあったときにクリックしてメッセージを読めます

❾ **ログイン**：「アドビのクラウドを使うとき」「アドビ製品を登録するとき」などにAdobe IDが必要になるので、ここからサインインします

❿ **ナビゲーションパネルボタン**：ボタンをクリックするとナビゲーションパネルが展開し、サムネイルやしおり、添付ファイルを表示できます。▶ ◀ をクリックすると表示/非表示を切り替えられます

⓫ **ツールパネルウィンドウ**：ここからも機能を選択できます。◀ ▶ をクリックしてツールパネルウィンドウの表示/非表示を切り替えられます 通常は閉じておいた方が各ボタンが見えるので操作しやすいです

ページを左右見開きで表示する

図やイラストが多い文書は、見開きの方が見やすい

たとえば、家電メーカーのホームページにあるPDFの説明書を見るとき、見開き表示にすると、2ページ分を同時に表示させることができます。1ページずつ表示するのと違い、実際の説明書を開いているかのように読むことができます。

見開きページ表示にする

 「表示」メニューの「ページ表示」をポイントし、「見開きページ表示」をクリック。

ONE POINT　ページ単位で表示される

「見開きページ表示」にすると、スクロールしたときにページ単位で移動します。少しずつ移動して読みたい場合は、手順1で「見開きページでスクロール」を選択してください。

 見開きで表示される。

ONE POINT　表紙を見開きにしないようにする

表紙の次のページから見開きでセットになっている場合は、「表示」メニューの「ページ表示」をポイントして、「見開きページ表示で表紙を表示」をクリックすると、表紙のみ1ページにできます。

 家電やパソコンの説明書をPDFで読む

メーカーのWebサイトに説明書のPDFが用意されていることがあります。PDFなら調べたいことを簡単に検索でき、説明書を紛失した場合にも役立ちます。ダウンロードや印刷も可能なので活用しましょう。

ページ単位でめくって読む

1ページずつ、クリックやスクロールで閲覧する

複数ページあるファイルの場合は、スクロールしながら読んでもよいですが、勢い余って探している箇所をとばしてしまったりして、見つけるのに案外時間がかかります。そんなとき、1ページ単位でめくると正確に移動できます。また、ページ単位でスクロールできる設定も紹介します。

次のページを表示する

1 ツールバーの「次のページを表示」をクリック（ツールバーが表示されていない場合は[F8]キーを押す）。あるいはキーボードの[PageDown]を押す。

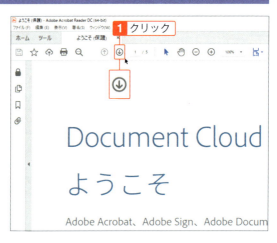

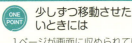

少しずつ移動させたいときには

1ページが画面に収められていない場合などは、スクロールバーを使うか、キーボードの[↓]と[↑]キーを使うと、表示画面を少しずつ移動しながら読むことができます。

2 次のページが表示された。「前のページを表示」をクリックすると前のページに戻る。キーボードの場合は[PageUp]を押す。

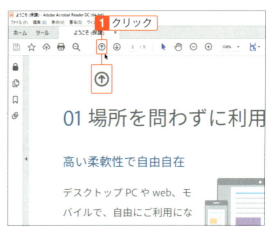

スクロールしたときにページごとに表示する

1 「表示」メニューの「ページ表示」をポイントし、「単一ページ表示」をクリック。

ONE POINT 単一ページとは

既定では、スクロールすると次のページが連なって表示されますが、「単一ページ」にするとスクロールしたときにページ単位で切り替わります。

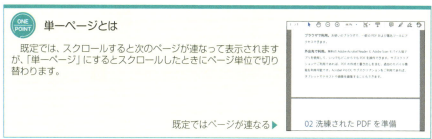

既定ではページが連なる ▶

2 スクロールすると次のページの先頭が表示される。

3 「表示」メニューの「ページ表示」をポイントし、「スクロールを有効にする」をクリックすると元の表示方法に戻る。

02-06 SECTION

ツールバーとツールパネルウィンドウを表示させずに読む

画面の上部と横のメニューが邪魔で、一度に表示される部分が狭い時に

文字の書き込みやマーカーなどの操作が不要な場合は、「閲覧モード」にしてみましょう。閲覧モードにするとツールバーやツールパネルウィンドウが表示されないので、広い画面に表示され、読むことに集中できます。

閲覧モードに変更する

1 「その他のツール」ボタンをクリックし、「閲覧モード」をクリック。あるいは、「表示」メニューの「閲覧モード」をクリック。

2 ツールバーやパネルウィンドウが非表示になった。「メインツールバーを表示」ボタンをクリック。

3 元に戻った。「表示」メニューの「閲覧モード」をクリックしても元に戻せる。

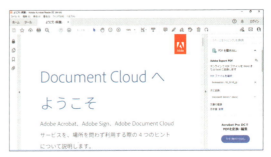

02-07 SECTION

ページを拡大して見る

ページ全体だけでなく、一時的に特定の箇所のみ拡大することもできる

カタログや資料にある文字が小さくて読めないときには、拡大表示にしてみましょう。老眼で小さな文字が読めない人にもおすすめです。ズームインボタンをクリックして拡大するか、拡大率を指定して表示できます。

拡大表示にする

1. 「ズームイン」ボタンをクリック。クリックするたびに拡大される。右のボックスに拡大倍率を指定することも可能。

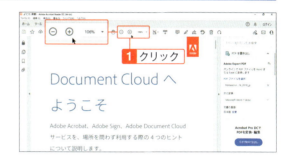

2. 拡大して表示された。縮小する場合は「ズームアウト」ボタンをクリック。

ONE POINT 一部分のみ拡大するには

「表示」メニューの「ズーム」をクリックし、「ルーペツール」をクリックすると、小さいウィンドウが表示され、一部分だけを拡大して表示できます。拡大表示を止めるときは、キーボードの [Esc] キーを押し、「ルーペツール」ウィンドウの「×」をクリックします。もし、「ルーペツール」ウィンドウが見当たらない場合は隠れているので、一旦フルスクリーンモード (SECTION02-08参照) にし、元に戻すと表示されます。

02-08 SECTION

画面いっぱいに表示させる

文書全体を、できるだけ大きく表示したい時に

ページ内の特定の箇所を拡大するにはSECTION02-07のようにズームさせればよいですが、さらに画面いっぱいに表示したいときには、「フルスクリーンモード」を使います。ツールボタンやパネルウィンドウが表示されないのでパソコン画面の全体を使って表示できます。

フルスクリーンモードにする

1 「表示」メニューをクリックし、「フルスクリーンモード」をクリック。または [Ctrl] キーを押しながら [L] キーを押す。

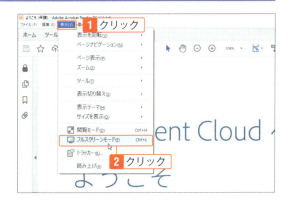

2 画面いっぱいに表示される。元に戻す場合は [Esc] キーを押す。

> **ONE POINT　ページ幅に合わせて表示する**
>
> ページの横幅に合わせたい場合は、「表示」メニューの「ズーム」をポイントして「幅に合わせる」をクリックします。その際、ウィンドウ右上の「最大化」ボタンをクリックして、ウィンドウを最大化しておきます。

手で動かすように、自在にスクロールする

拡大した画面を、タテ/ヨコ/斜めに自由に動かせて便利

見たい部分が隠れないようにスクロールしたいときには「手のひらツール」をがおすすめです。実際の手でつまんでいるかのように移動できます。手のひらツールを使用しなくても、何かの拍子でボタンをクリックしてしまうことがあるので覚えておくとよいでしょう。

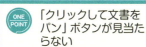

クリックして文書をパンする

1 「クリックして文書をパン」をクリック。あるいは右クリックして「手のひらツール」をクリック。

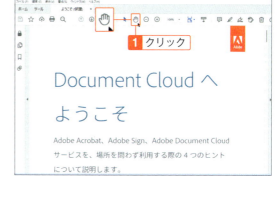

> **ONE POINT**　「クリックして文書をパン」ボタンが見当たらない
>
> ページコントロールを切り離している場合は下部にあります（SECTION02-10参照）。また、ページコントロールを非表示にしている場合は、「表示」メニューの「表示切り替え」→「ページコントロール」→「ページコントロールを表示」をクリックして表示させてください。

2 手でつまむようにしてページを移動できる。元に戻すには、ツールバーの「テキストと画像の選択ツール」をクリック。

02-10 SECTION

ページコントロールを
ツールバーから切り離す

こまめな表示倍率の変更などを、画面の下の方で操作したい時に

「ページコントロール」は、閲覧モードの時に画面下部に表示される「ズームイン」や「ページサムネールを表示/非表示」などのボタンが並んでいる部分です。通常の表示ではツールバーに固定されていますが、ツールバーから切り離して好きな位置に移動させることができます。

ページコントロールをツールバーから移動する

1 「ページコントロールをツールバーから移動」ボタンをクリック。

2 ページコントロールが移動した。ドラッグして好きな位置に移動する。「ページコントロールをツールバーに移動」ボタンをクリックするとツールバーに戻すことができる。

ONE POINT ページコントロールが消えた

表示したページコントロールは、しばらくすると閲覧の邪魔にならないように非表示になります。マウスポインタを動かすと再表示されます。

02-11 SECTION

サムネールを使ってページを移動する

目的のページを「見た目」から探せる

サムネールとは、ページの縮小画像のことです。ページ番号がわからないときやしおりが含まれていないときに、縮小画像の見た目から、探しているページが見つかることがあります。縮小画像が小さく感じる場合は大きめの画像にすることもできます。

サムネールを使って移動する

1. 画面左端にある「ページサムネール」ボタンをクリック。

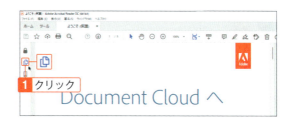

2. サムネールが表示される。目的のページをクリックして移動できる。

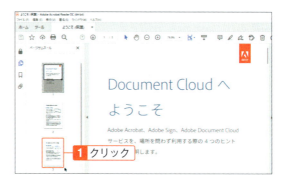

サムネールの画像を大きくしたい

サムネールが小さくて確認しづらいときには、ページサムネールの上を右クリックし、「サムネール画像を拡大」をクリックします。「サムネール画像を拡大」をクリックする度に大きく表示されます。

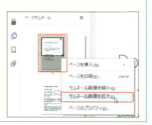

02-12 SECTION

しおりを使ってページを移動する

本のしおりのように、大事なページをすぐに開ける

PDFには「しおり」の機能があり、家電製品やパソコンのマニュアルのように、ページ数の多い文書を閲覧する際、目的のページをすぐに開くことができます。ただし、しおりが設定されていないファイルでは使えません。しおりの作成についてはSECTION04-16で説明します。

しおりを使って移動する

1 画面左側にあるしおりのアイコンをクリック。

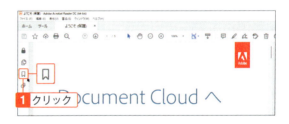

2 しおりが表示され、項目をクリックすると、該当するページが表示される。

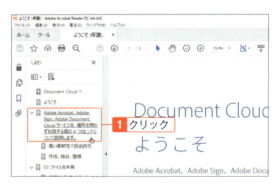

ONE POINT 目的の項目がない場合

項目の左にある > をクリックすると、折りたたまれていた下位の項目が表示されることがあります。目的の項目がない場合は試してみましょう。

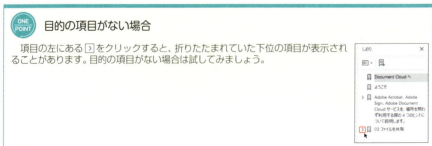

02-13 SECTION

特定のページへ素早く移動する

参照先が多く、ひんぱんに前後に移動する資料や説明書などで

「3ページを参照」など、見たいページ番号がわかっているときには、ページを指定して、そのページをダイレクトに表示することができます。1ページずつめくらなくてすむので、素早く目的のページにたどりつけます。

3ページ目へ移動する

1. 目的のページ番号を入力し、[Enter] キーを押す。

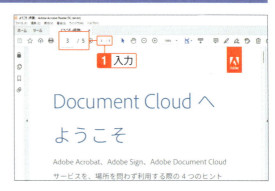

2. 目的のページへ移動した。

 先頭または最後のページに移動するには

素早く先頭ページへ移動したいときには、キーボードの [Home] キーを押します。最後のページへ移動したいときには、[End] キーを押します。

02-14 SECTION

画面を自動的にスクロールする

文字が少なめの文書で、全体をざっと確認したいときに

Acrobat Readerには、自動的にスクロールしてページをめくれる機能があります。手動でスクロールしなくても自動的に表示画面を移動できるので、手を動かさずに全体をおおまかに確認したいときに効果的です。スクロールの速度は調整することができます。

自動的にスクロールする

1 「表示」メニューの「ページ表示」をポイントし、「自動スクロール」をクリック。

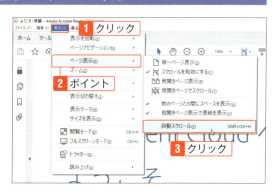

2 自動的にスクロールされる。自動スクロールを止める場合は[Esc]キーを押す。最後のページまでスクロールすると、自動スクロールは終了する。キーボードの[-]を押すと反対方向にスクロールすることも可能。

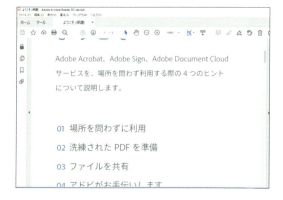

 スクロールの速度を変えたいときは

キーボードの[↑][↓]キーや数字キーを使ってスクロールの速度を調整できます。数字キーの場合は、9が最も速く、0が最も遅くなります。

02-15 SECTION

横向きになっている文書を縦に表示する

スキャナーで読み取ったPDFファイルを見るときによく使う機能

作成者が横向きの設定でPDFファイルを作成していたり、横向きにしてスキャナーで読み取ったりした場合は、ページが横向きで表示されます。横に向いていると読みづらい場合は、Acrobat Reader DCでページを回転させましょう。

横向きから縦向きにする

1 「表示」メニューの「表示を回転」をポイントし「右90°回転」または「左90°回転」をクリック。逆さになっている場合は、「右90°回転」ボタンを2回クリック。

2 縦向きになった。

ONE POINT 次回も縦向きに表示させたい

ここで解説しているのは、一時的に回転させているだけなので、次回開いたときには再び横向きで表示されます。縦向きのまま保存しておきたい場合は、SECTION04-05のようなソフトやSECTION05-03のオンラインサービスを使います。あるいは、有料のAcrobat DCでも可能です。

02-16 SECTION

PDFに添付されたファイルを開く

閲覧だけでなく、添付されているファイルを自分用に保存できる

実は、PDFファイルには、他のファイルを添付することができます。ファイルが別になっていると、メールで別送されているのを見逃してしまったり、後でどのファイルが関連するのか分からなくなってしまうことがあります。PDFにファイルを添付する方法については、SECTION03-09で説明します。

添付ファイルを開く

 「添付ファイル」ボタンをクリックし、目的の添付ファイルをダブルクリック。

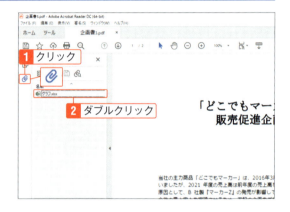

> **ONE POINT　添付ファイルボタン**
> ナビゲーションパネルの「添付ファイル」ボタンは、添付ファイルが含まれているPDFファイルでのみ表示されます。

 「このファイルを開く」を選択し、「OK」ボタンをクリックするとファイルが開く。

> **ONE POINT　信頼できないファイルは開かない**
> 作成元がわからないPDFやインターネットからダウンロードしたPDFの添付ファイルは、ウィルスが含まれているかもしれません。手順2のように開くときにメッセージが表示されるので、信頼できないファイルは開かないように気を付けてください。

添付ファイルを保存する

1. 一覧にあるファイルをクリックし、「添付ファイルを保存」ボタンをクリック。

2. ファイルの保存先を指定し、「保存」ボタンをクリック。

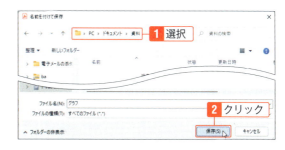

注釈の添付ファイルを開く

1. 添付ファイルのアイコンをダブルクリック。

> **ONE POINT　注釈としての添付ファイル**
>
> PDFファイルに添付されているファイル以外にも、ページ内の特定の場所に添付されているファイルもあります。その場合は、該当箇所にクリップやピンなどのアイコンがあるのでダブルクリックして開けます。

2. 「このファイルを開く」を選択し、「OK」ボタンをクリックするとファイルが開く。

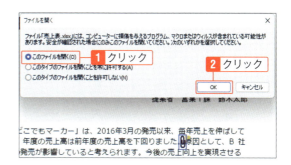

02-17 SECTION

ファイルにスターを付けて すぐに使えるようにする

大事なファイルをすぐに開ける

ホームページをお気に入りに登録するのと同じような感覚で、PDFファイルにスターを付ければ、必要な時にすぐに開けるようになります。スターを解除する時は、スター付き一覧からでも簡単に解除できます。

スターを付ける

1 ツールバーにある「☆」をクリック。

2 青色の星になった。「ホーム」タブをクリック。

3 「スター付き」をクリックすると一覧に表示され、次回はここからすぐに開ける。ポイントして☆をクリック。

4 スターを解除できる。

 他の端末でスターを使うには

アドビアカウント（SECTION03-18参照）にログインしていると、手順1の後に画面が表示されます。「すべてのデバイス」をクリックすると、「Document Cloud」に保存され、他のパソコンやスマホでもスター付きファイルをすぐに使えるようになります。なお、「Document Cloud」は、アドビアカウントにログインしないと使えません。詳しくは、SECTION03-19を参照してください。

スマホのAcrobat Readerアプリの「スター付き」タブからアクセスも可能になる

02-18 SECTION

2つのPDFを比較しながら閲覧する

ファイルを並べることで比較しやすくなる

先月と今月の売り上げ実績を比較したいときや修正前と修正後の文書を見比べたいときなど、2つのファイルを並べる方法があるので紹介します。この方法ならウィンドウを切り替えずにすむので、どちらのファイルなのか区別しやすくなります。なお、右端のツールパネルウィンドウは折りたたんだ方が見やすくなります。

「並べて表示」にする

1 2つのファイルを開き、「ウィンドウ」メニューの「並べて表示」をポイントして「左右に並べて表示」をクリック。上下に並べる場合は「上下に並べて表示」をクリック。

2 2つのファイルが左右に並び、それぞれのファイルをスクロールして内容を比較できる。

 複数のファイルのウィンドウを重ねて表示させるには

複数のファイルを開いている場合、「ウィンドウ」メニューの「重ねて表示」をクリックすると、開いているウィンドウを重ねて表示できます。この場合はタイトルバーをクリックして、ファイルを切り替えます。

02-19 SECTION

PDFの中から特定の文字や単語を検索する

WordやExcelと同じ要領で検索できる

目的の単語を探したいとき、ページ数の多い紙の書類だと根気のいる作業となり、見落としも発生してしまいます。PDFファイルには、Wordのような検索機能があるので、目的の単語を素早く探すことが可能です。資料の本体だけでなく、しおりや注釈を検索対象に含めることもできます（次のSECTION参照）。

単語を検索する

1 「テキストを検索」ボタンをクリック。あるいは「編集」メニューの「簡易検索」をクリック。目的の単語を入力し、[Enter] キーを押す。

ONE POINT 検索の種類

検索には「簡易検索」と「高度な検索」があります。「簡易検索」は目的の単語を探すシンプルな検索方法です。「高度な検索」では、大文字と小文字を区別して検索したり、しおりや注釈を検索対象にしたりすることができます（SECTION02-20参照）。

2 該当する単語が反転する。[Enter] キーを押して次の単語へ移動できる。終了する場合は「×」ボタンをクリック。

02 Acrobat Reader DCでPDFを閲覧しよう

02-20 SECTION

注釈やしおりも範囲に含めて単語検索する

注釈、テキストボックス、しおりなどからも検索できる

通常、注釈として入力した文字は文字検索の対象に入りませんが、検索時に設定を変えると検索対象になります。注釈の中に探している単語がある場合は試してみましょう。なお、注釈のつけ方についてはSECTION03-07で説明します。

注釈を含めて検索する

1 SECTION02-19の手順2の画面で、をクリックし、「注釈を含める」をクリック。

2 単語を入力し、[Enter]キーを押す。

> **ONE POINT　高度な検索**
> 高度な検索を使うと、注釈以外にも、しおりを対象にしたり、大文字と小文字を区別して検索したりできます。「編集」メニューの「高度な検索」で表示された画面からも検索できます。

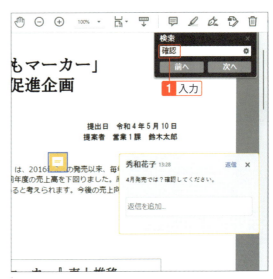

Chapter 03

Acrobat Reader DCでPDFを編集／加工／共有しよう

Acrobat Reader DCは、PDFの閲覧だけではありません。PDF文書に文字を書き込んだり、矢印などの図形を描いたりなどができます。また、ファイルを添付したり、他の人とファイルを共有してコメントを付けたりなども可能です。さらに高度な編集をしたい場合は有料となりますが、閲覧と書き込み程度なら無料版でも十分対応できます。

03-01 SECTION

申請書や履歴書に文字を入力する

プリントして手書きしていた文書の負担が大幅に減る

PDFで提供されている申請書や、履歴書などに記入するとき、プリントして手書きする人も多いと思いますが、Acrobat Reader DCを使ってパソコンで文字を入れることができます。文字のサイズや色も指定できるので、違和感なく入力できます。なお、コメントを入力できないように設定されているPDFファイルは、ここでの操作はできません。

文字を入力する

1 ツールパネルウィンドウの「コメント」ボタンをクリック。ボタンが見えない場合は右端のスライダをドラッグ。

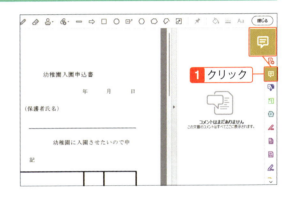

ONE POINT コメントツールバーの表示方法

ここでのようにツールパネルウィンドウから表示する方法の他に、「ツール」タブの「コメント」をクリックするか、「表示」メニューの「ツール」→「コメント」→「開く」をクリックします。

2 コメントツールバーの「テキスト注釈を追加」ボタンをクリック。入力する位置をクリックして文字を入力。

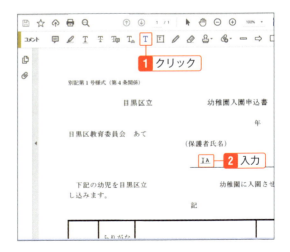

3 入力した文字列をドラッグし、「フォントサイズ」の▼をクリックして文字サイズを選択する。

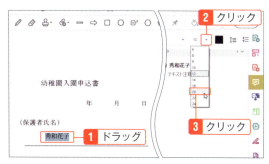

文字の色を変更するには

手順3の画面で「フォントの色」ボタンをクリックして文字色を変更することが可能です。

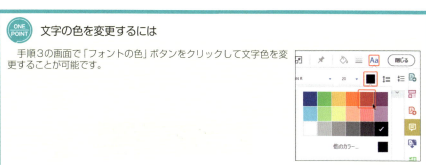

文字を削除する

1 ツールパネルウィンドウで、入力した文字をクリックし、「…」をクリックして「削除」をクリック。

2 削除された。コメントツールバーを終了する場合は右端の「閉じる」をクリックするか、キーボードの[Esc]キーを押す。

楕円や矢印などの図形を描く

コメントツールバーで図形を追加することもできる

Acrobat Reader DCで、楕円や矢印などの図形を描くことができます。色を付けることもでき、枠線の色と枠線の内側の色の両方を好きな色にすることができます。ここでは、枠線のみに色を付けた楕円を描く方法を説明します。

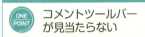

楕円を描く

1 コメントツールバーの「描画ツール」ボタンをクリックし、「楕円」をクリック。

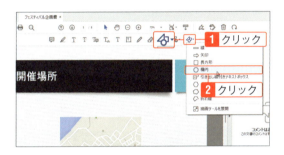

> **ONE POINT　コメントツールバーが見当たらない**
> コメントツールバーが非表示の場合は、SECTION03-01の方法で表示させてください。

2 ドラッグすると○を描ける。正円を描く場合は[Shift]キーを押しながらドラッグする。

3 描いた円の上で右クリックし、「プロパティ」をクリック。

「色」ボックスで枠線の色を選択する。ダイアログボックスを開いた状態でどのようになるかを確認できる。

> **ONE POINT 枠線の設定**
>
> コメントツールバーのボタンで色や枠線の種類を設定できますが、ここでのように「プロパティ」ダイアログを使うと一度に設定することができます。

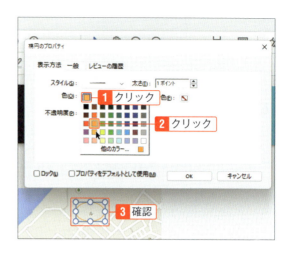

「塗りつぶしの色」ボックスで「カラーなし」（色を付ける場合は色を選択）を選択。

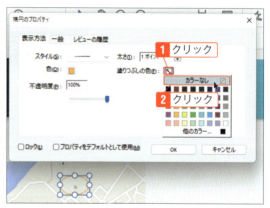

「太さ」ボックスで線の太さを設定し、「OK」ボタンをクリック。

03-03 SECTION

手書きで文字を書き込む

スキャンしてPDF化した文書などに便利

文字の入力や図形の描画は、キーボードでの入力だけでなく、フリーハンドで入れることもできます。急いでいるときには、手っ取り早く書き加えることができるので便利です。また、文字認識ができないPDFの文字の上に線を引きたい時にも役立ちます。

手書きの文字を入れる

1. コメントツールバーの「描画ツールを使用」ボタンをクリック。

ONE POINT　コメントツールバーが見当たらない
コメントツールバーが非表示の場合は、SECTION03-01の方法で表示させます。

2. 「色を変更」ボタンをクリックして、色を選択。

3. ドラッグで自由に描ける。タッチパネル式パソコンの場合は画面をなぞって描くことができる。

03-04 SECTION

質問事項などにチェックマークを付ける

申請書などの記入時に特に役立つ

申請書やアンケートで、質問事項にチェックマークを入れることがあります。PDFを印刷して、チェックマークだけ後から手書きしてもよいですが、Acrobat Reader DCで入力すれば一度で済みますし、そもそも印刷が必要ない文書の場合は、手書きをスキャンするといった手間がかかりません。

チェックマークを追加する

[1] ツールパネルウィンドウの「入力と署名」ボタンをクリック。または「ツール」タブの「入力と署名」、「表示」メニューの「ツール」→「入力と署名」→「開く」をクリック。

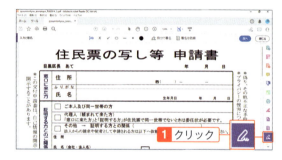

[2] 「チェックマークを追加」ボタンをクリック。

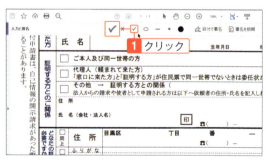

ONE POINT 入力と署名とは

文書を承認するときに使うツールです。チェックマークの他、×の入力や署名ができます。

[3] チェックを付ける箇所をクリックするとチェックマークを入力できる。終わったら「入力と署名」ツールバーの「閉じる」ボタンをクリック。

03-05 SECTION

文章にマーカーや打消し線を引く

大事な部分を強調したり、間違っている部分を線で打消せる

読んでいるときに気になる箇所や重要だと思った箇所があったら、マーカーを引きましょう。蛍光ペンでマーキングするのと同じようにできます。また、訂正したい箇所があったときには打消し線を引くこともできます。どちらも色の変更や削除が簡単にできます。

マーカーを引く

1 コメントツールバーの「テキストをハイライト表示」ボタンをクリックする。

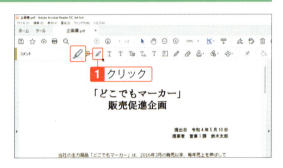

2 「色を変更」ボタンをクリックして色を選択し、文字をドラッグ。

3 マーカーを引くことができた。

ONE POINT マーカーを削除するには

マーカーをクリックしてキーボードの[Delete]キーを押すとマーカーを削除できます。

打ち消し線を入れる

1 コメントツールバーを閉じた状態で、文字をドラッグし、フローティングツールバーの「テキストに取り消し線を引く」をクリック。

 打消し線を引けた。打消し線をクリックして表示されるボタンで色を設定できる。

ONE POINT　マーカーや打消し線を引く方法

前のページのように、コメントツールバーでマーカーや打消し線を引く方法と、コメントツールバーを閉じてフローティングツールバーのボタンで引く方法があります。続けて引く場合はコメントツールバー、1件のみならフローティングツールバーを使うと速いです。

ONE POINT　現在の色を変更したり、常に使いたい場合は

マーカーや打消し線をクリックし、フローティングツールバーの「色の変更」で色を変えられます。また、マーカーや打消し線の上を右クリックし、「プロパティ」をクリックして表示されるダイアログで、「プロパティをデフォルトとして使用」をクリックすると、常に現在の色を使うことができます。

03-06 SECTION

PDFの文書に写真などの画像を追加する

レイアウトを崩さずに、文書の上に画像を貼り付けることができる

PDF文書に写真やイラストなどの画像を入れたい場合、Acrobat Reader DCでは、スタンプを使って入れられます。その際、あらかじめ別のソフトを使って画像をコピーしておく必要があります。PDF文書の上に画像を貼り付けるので、文書のレイアウトが変わることはありません。

クリップボードの画像をスタンプとして貼り付ける

1 あらかじめWordなどのファイルに画像を挿入し、右クリック→「コピー」でコピーしておく。

2 コメントツールバーの「スタンプを追加」ボタン→「クリップボード画像をスタンプとして貼り付け」クリック。

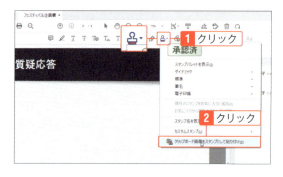

3 クリックすると画像が貼り付けられる。周囲のハンドルをドラッグしてサイズを変更できる。

特定の箇所にコメントを入れる

アイコンなので文書の邪魔にならず、複数人でやりとりもできる

文章や画像など、PDF内の特定の箇所にコメントを付けたい時には、ノート注釈を使ってみましょう。ノート注釈を入れると、その箇所にアイコンが表示されます。また、誰が書き込んだかがわかり、返信もできるので、共同作業をするときに役立ちます。

ノート注釈を追加する

1 コメントツールバーの「ノート注釈を追加」ボタンをクリックし、コメントを入れる箇所をクリック。

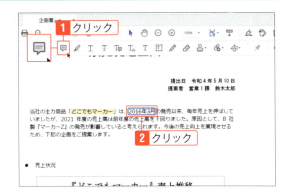

ノート注釈とは

文書内のどこかにコメントを入れたいときにはノート注釈を使います。コメントのボックスにはユーザー名が表示され、書いた人がわかるようになっています。なお、アイコンを右クリックし、「プロパティ」をクリックして表示されたダイアログで、アイコンの種類を変更できます。

2 アイコンと入力ボックスが表示されるので、文字を入力し、「投稿」ボタンをクリック。入力できたら他の場所をクリックする。

03-08 SECTION

他の人のコメントに返信する

コメントごとに、やりとりが時系列で表示される

注釈に返信する方法を説明します。複数の注釈がある場合は、該当する注釈を探すのが大変ですが、ツールパネルウィンドウにこれまで追加した注釈の一覧が表示されるので、コメントの記入者や種類などで絞り込んで表示させると、見つけやすくなります。

注釈を絞り込んで表示する

1 ツールパネルウィンドウの「コメント」をクリックする。「注釈をフィルター」ボタンをクリックし、「注釈記入者」から表示したいユーザーをクリックし「適用」をクリック。

2 選択したユーザーの投稿が表示される。絞り込みを解除するには「注釈をフィルター」ボタンをクリックし、「すべてをクリア」をクリック。

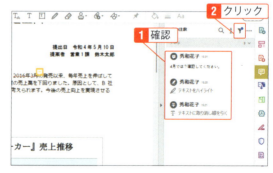

> **ONE POINT　注釈の絞り込み**
>
> 原稿の校正では、何か所も修正しているとわかりにくくなります。そのようなときに、担当者（ユーザー名）や注釈の種類などで絞り込むことができます。

コメントに返信する

1. ツールパネルウィンドウの注釈をクリックし、文章を入力して「投稿」ボタンをクリック。

2. ユーザー名付きで表示される。

ONE POINT 注釈のユーザー名を変更したい

注釈の作成者名を変えたい場合は、手順2の画面で注釈の「・・・」をクリックし、「プロパティ」をクリックします。表示されたダイアログの「一般」タブでユーザー名を変更できます。次回も同じ名前を使う場合は下部の「プロパティをデフォルトとして使用」にチェックを付けて「OK」をクリックします。SECTION03-01のテキスト注釈 やSECTION03-07のノート注釈の作成者名にも反映されます。

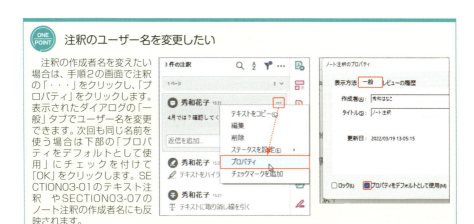

ExcelなどのファイルをPDFに添付する

Excel以外にも、メールで送るようなファイル形式はたいてい添付できる

SECTION02-16では、添付ファイルを開く方法を説明しましたが、ここでは、注釈としてファイルを添付する方法を説明します。例として、Excelのファイルを添付しますが、その他、Wordや画像ファイル、圧縮ファイルなど、たいていのファイル形式は添付できます。

Excelのファイルを添付する

1 コメントツールバーの「新規添付ファイルを追加」ボタンをクリックし、「ファイルを添付」をクリック。

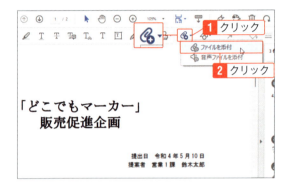

2 マウスポインタが画鋲になるので、添付する場所をクリック。

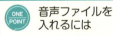
音声ファイルを入れるには

手順1で、添付ファイルとして音声ファイルを添付することもでき、mp3、mov、SWF ファイル、その他の H.264（AAC オーディオを含む）でエンコードされているファイルに対応しています。

3. ファイルをクリックし、「開く」ボタンをクリック。

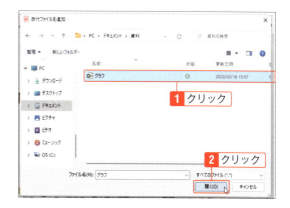

4. アイコンを選択し、「OK」ボタンをクリック。

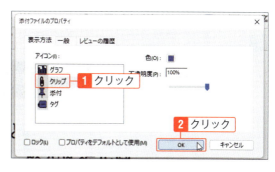

5. ファイルが添付され、アイコンが表示される。

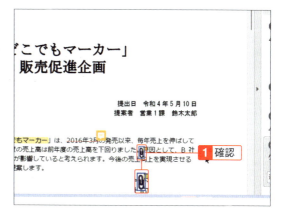

> **ONE POINT　添付ファイルを削除するには**
>
> 追加された添付ファイルのアイコンをクリックし、キーボードの [Delete] キーを押すと削除できます。

03-10 SECTION

PDFの文章や画像をコピーして他のファイルに貼り付ける

画像をペイントなどに貼り付けることで保存もできる

PDFの資料にある文章をWordやExcelなどの他のファイルに貼り付けて使いたいこともあるでしょう。そのようなときは、使いたい文章をコピーすることができます。また、画像はペイントなどの画像ソフトに貼り付けることで、画像だけを保存できます。なお、文章と画像を同時にはコピーできません。

文章をコピーして貼り付ける

1 「テキストと画像の選択ツール」をクリック。コメントツールバーが表示されている場合は右上にある「閉じる」をクリックしてバーを閉じておく。

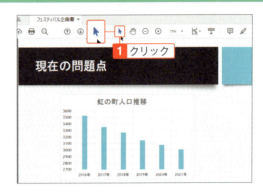

2 コピーしたい箇所をドラッグして範囲を選択し、反転されている上で右クリックして「コピー」をクリック。

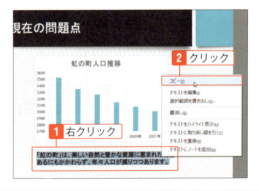

 選択やコピーができない

手のひらツールになっていると選択できないので、ツールバーの「テキストと画像の選択ツール」ボタンをクリックして選択ツールにしてください。また、OCR処理（SECTION07-02）がされていないファイルやコピーを禁止しているファイルは、コピーすることができません。

3. Wordを開き、右クリックして「テキストのみ保持」をクリック。書式もコピーする場合は「元の書式を保持」をクリック。

画像をコピーして貼り付ける

1. 「テキストと画像の選択ツール」ボタンをクリックし、コピーしたい画像をクリック。

2. フローティングツールバーが表示されるので、「画像をコピー」ボタンをクリック。

3. ペイントやWordなどのソフトを起動してファイルを開き、「貼り付け」ボタンをクリック。

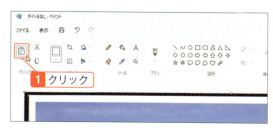

65

03-11 SECTION

一部分を画像にして他のファイルに貼り付ける

画像にしたい箇所をドラッグで任意に選べる

「スナップショット」は、写真を撮るような感覚で、PDFの一部を画像にできる機能です。任意の箇所にある文字と画像を一緒に画像にし、Excelの集計表に貼り付けたり、PowerPointのスライドを貼り付けたりできます。

ファイルの一部分をコピーする

1. 「編集」メニュー→「詳細」→「スナップショット」をクリック。

2. 範囲をドラッグし、「OK」ボタンをクリック。

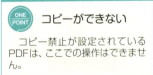

ONE POINT　コピーができない

コピー禁止が設定されているPDFは、ここでの操作はできません。

3. 他のファイルを開き(ここではWordファイル)、「貼り付け」ボタンをクリック。終わったら、キーボードの[Esc]キーを押してスナップショットを終了する。

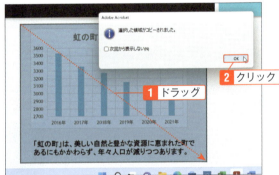

03-12 SECTION

PDFの文章を取り出して テキストファイルにする

ドラッグしてコピペしなくても、文書全体のテキストを抜き出せる

PDFファイルからテキストデータを抜き出し、別のファイルとして保存する方法を解説します。使いたい文章が多い場合は、SECTION03-10のコピーの方法でなく、文書全体をテキストファイルにしてしまった方が楽です。ただし、文字を認識できるファイルでのみ可能で、画像に入っているテキストは抜き出せません。

文章を取り出す

1 「ファイル」メニューの「テキストとして保存」をクリック。

2 「保存する場所」から保存先を選択し、「ファイル名」ボックスにファイルの名前を入力。「ファイルの種類」ボックスが「テキスト」になっていることを確認して「保存」ボタンをクリック。

 テキストファイルとは

Wordなどで文書を作成すると、フォントの種類やサイズ、色などの書式が設定された文書になりますが、テキストファイルは書式を設定していない文字情報だけのファイルになります。文字だけなので、どのソフトでもレイアウトをくずさずに使うことができます。

03-13

「非公開」や「完了」のスタンプを入れる

PDFの文書にも「非公開」や「完了」のゴム印のように入れられる

紙の文書に「非公開」や「完了」といったスタンプを押すことがありますが、PDFでも同様のことができます。Acrobat Reader DCには「非公開」や「承認済」などの汎用的なスタンプが、おおむね一通り用意されています。

「非公開」のスタンプを追加する

1 コメントツールバーの「スタンプを追加」ボタンをクリックし、「標準」→「非公開」をクリック。

> **ONE POINT スタンプとは**
> Acrobat Reader DCには、よく使うスタンプや電子印鑑が用意されています。電子印鑑についてはChapter10で説明します。

2 ユーザー情報を入力し、「完了」をクリック。

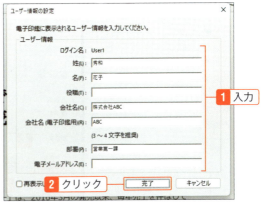

> **ONE POINT 「ユーザー情報の設定」画面が表示された**
> 初めてスタンプを使う時は、手順1の後にユーザー情報の入力が求められます。後から「編集」メニューの「環境設定」→「ユーザー情報」で変更できます。

3 スタンプを入れる箇所をクリックすると「非公開」のスタンプが追加される。

03-14 SECTION

PDFを白黒印刷する

カラーの写真と白黒の図が混在している文書をきれいに印刷できる

例えばレポートなどで、カラーでなく白黒の紙文書を提出しなければいけないといった場合、文書内にカラーの写真やイラストがあっても、「グレースケール」という設定にすることで、すべて白黒で印刷できます。「確認用なので、プリンターのインクを節約したい」といった場合にも活用できます。

グレースケールをオンにして印刷する

1. 「ファイルを印刷」ボタンをクリック。

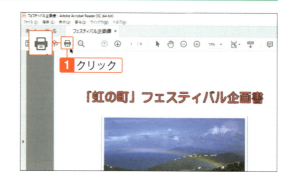

2. 使用するプリンターになっていることを確認する。「グレースケール（白黒）で印刷」にチェックを入れる。右側のプレビューで白黒になっていることを確認し、「印刷」ボタンをクリック。

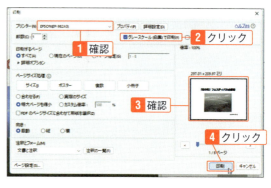

ONE POINT 印刷できない

「印刷」ダイアログの「プリンター」ボックスが使用するプリンターになっていないと印刷できません。また、用紙サイズの選択はプリンターの機種によります。たとえば、B4サイズで印刷したくても一覧にない場合は、プリンターがB4サイズに対応していないので印刷できません。

03-15 SECTION

PDFを印刷して小冊子にする

二つ折りにして綴じれば本のようになる

作成したPDFを、小冊子として配布したい時もあるかもしれません。印刷時に、小冊子用の設定にすれば、用紙を二つ折りにして本のようにできます。その際、閉じ方を選ぶことができるのですが、少々わかりにくいので、次ページにあるONE POINTも参考にしてください。

小冊子として印刷する

1 SECTION03-14の手順2の画面で「小冊子」をクリック。

2 「小冊子の印刷方法」ボックスの「∨」をクリックして、印刷方法を選択。

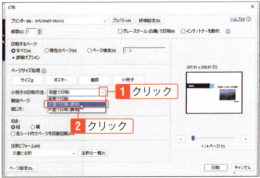

 偶数/奇数のページのみ印刷するには

　古いプリンターで両面印刷ができない場合は、2ページ、4ページ、6ページ…と偶数ページを印刷してから用紙を裏返しにしてセットし、奇数ページを印刷します。偶数ページを印刷するには、手順1の画面で、「詳細オプション」をクリックし、「偶数または奇数ページ」の「∨」をクリックして、「偶数ページのみ」を選択し、「印刷」ボタンをクリックしてください。

3 「綴じ方」を選択。

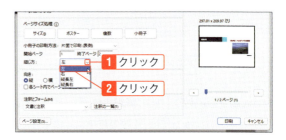

4 プレビューを確認し、「印刷」ボタンをクリック。

ONE POINT 小冊子の印刷方法

小冊子の印刷方法は、「両面で印刷」「片面で印刷（表側）」「片面で印刷（裏側）」の3種類あります。プリンターが両面印刷に対応していれば、「両面で印刷」を選択して一度に両面を印刷できます。片面ずつ印刷する場合は、表側を印刷した後、用紙を裏側にして印刷します。印刷が終わったら二つ折りにします。複数枚で構成されている場合はホチキスなどで留めます。

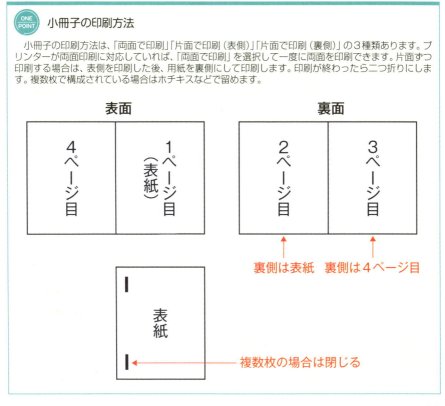

03-16 SECTION

1枚の用紙に複数ページを印刷する

PowerPointの「配布資料」に近いイメージの印刷ができる

プレゼンテーションでは、1枚の用紙に4枚くらいのスライドを載せて配布することがあります。PowerPointの「配布資料」が代表的な機能ですが、Acrobat Readerでも同様の印刷ができます。1枚に入れるページ数を指定でき、行と列の数も指定できます。

1枚の用紙に複数ページを印刷する

[1] SECTION03-14の手順2の画面で「複数」ボタンをクリックし、「1枚あたりのページ数」ボックスの「∨」をクリックして枚数を指定する。

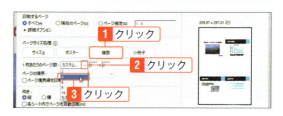

[2] 「ページの順序」ボックスの「∨」をクリックして配置方法を選択し、「印刷」ボタンをクリック。

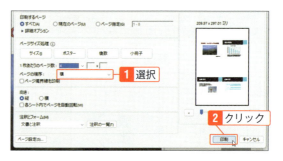

ONE POINT 縦に3ページ並べて印刷するには

「1枚あたりのページ数」には、2、4、6、9、16枚を均等に並べる選択肢がありますが、それ以外の枚数にしたいときや行列を指定したいときには、「1枚あたりのページ数」ボックスの「∨」をクリックして「カスタム」を選択し、列と行の数を入力します。

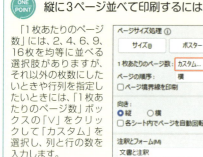
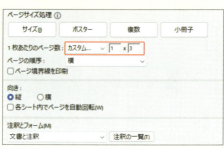

03-17
SECTION

ものさしツールを使う

図面にあるオブジェクトの長さや面積を測れる

文書内のオブジェクトの距離や面積を調べたいときのために、長さや面積を測定できる「ものさしツール」という機能があります。図面を印刷業者に送る前に測定しておきたい場合に便利です。ただし、PDF作成者がものさし機能を使えないように設定している場合は使用できません。

長さを測る

 「ツール」タブの「ものさし」をクリック。

ONE POINT　ものさしツールとは

フォームや CAD 図面などにあるオブジェクトの 2 点間の長さ、複数点間の合計の長さ、面積などを測ることができます。

 「ものさしツール」をクリックし、測定タイプを選択。

ONE POINT　スナップの種類と測定タイプ

「スナップの種類」は、どこにスナップさせるかを選択します。測定タイプは、2点間の距離を測定する「距離ツール」、複数の点を指定して距離の合計を測定する「周辺ツール」、指定した線分に囲まれた領域の面積を測定する「面積ツール」から選べます。

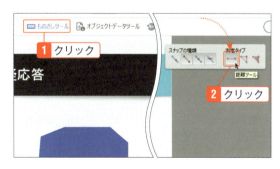

3 測りたい箇所をドラッグすると測定値が表示される。

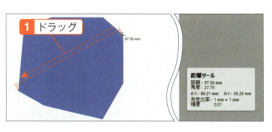

03-18 SECTION

アドビアカウントを取得する

無料で取得でき、アドビのクラウドが使える

PDFを頻繁に使う場合はアドビアカウントを取得しておくと便利です。アドビのクラウドや有料サービスを使う際に必要となるので、まだ取得していない人は登録しておきましょう。登録は無料で、手続きも簡単です。

アドビアカウントにログインする

「ログイン」をクリック。

> **ONE POINT　アドビアカウントとは**
>
> アドビアカウントがなくてもAcrobat Reader DCを使うことはできますが、アカウントを取得することで、アドビのアプリやサービスを安全に利用することができ、次のSECTIONで解説するAdobe Document Cloudが使えるようになります。アドビ製品の購入や有料サービスを利用する際に必要になるので取得しておきましょう。

別ウィンドウにログイン画面が表示されるので「アカウントを作成」をクリック。

> **ONE POINT　アドビアカウントを取得済みの場合**
>
> アドビアカウントをすでに持っている場合はメールアドレスを入力してログインすることができます。手順2の画面のボタンからGoogleやFacebook、Appleのアカウントでログインすることも可能です。

3 メールアドレス、姓名、パスワード、誕生年月を入力し、「アカウントを作成」をクリック。

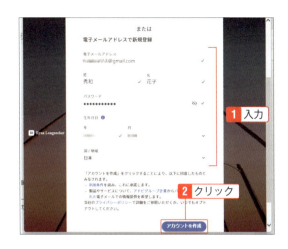

4 メールアドレス宛に送られてきた数字を入力。

5 ログインできた。ログイン中は右上にアイコンが表示される。

 アドビアカウントをログアウトするには

右上のアカウントアイコンをクリックし、「サインアウト」をクリックします。表示された画面で「ログアウト」をクリックするとログアウトできます。再度ログインする場合は、右上の「ログイン」をクリックします。

03-19 SECTION

Adobe Document CloudにPDFを保存する

クラウドに保存しておけば、会社でも外出先でも見られる

クラウドサービスを使えば、PDFファイルを他のパソコンやスマホなどからも開けるので、とても便利になります。さまざまなクラウドサービスがありますが、アドビのクラウドサービス「Adobe Document Cloud」なら、Acrobat Reader上で簡単に使えます。アドビアカウントあれば無料で使えるので活用しましょう。

クラウドにファイルを保存する

1 「ファイル」メニューの「名前を付けて保存」をクリック。

> **ONE POINT　Document Cloudとは**
>
> 　クラウドは、インターネットを介してファイルの保管や機能が使えるサービスのことです。ここでの「Document Cloud」は、アドビが提供しているクラウドで、アドビアカウントを取得すればクラウドに保存したPDFを、どの端末からも引き出すことが可能になります。2GBまでなら無料です。なお、アドビアカウントにログインしていない場合は手順2の画面に「今すぐサインイン」が表示されるのでクリックしてログインしてください。

2 「Document Cloud」をクリック。

> **ONE POINT　素早くクラウドに保存するには**
>
> 　ファイル名を変更しない場合は、ツールバーにある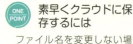をクリックするとすぐにAdobe Document Cloudに保存できます。

ファイル名を入力し、「保存」ボタンをクリック。

> **ONE POINT** クラウド上にフォルダーを作成するには
>
> 新しいフォルダーに保存する場合は、右上にある ▣ ボタンをクリックし、フォルダー名を入力して「フォルダーを作成」ボタンをクリックします。

クラウドのファイルを開く

1 「ホーム」タブをクリックし、「Document Cloud」の「すべてのファイル」をクリック。ファイルをダブルクリック。

> **ONE POINT** クラウドのファイルを削除するには
>
> クラウドに送ったファイルを削除したい場合は、手順1の画面で、ファイルをクリックし、右下端にある「削除」をクリックします。

 ファイルが開いた。上部に「Adobe Document Cloudから開かれています」と表示される。

03-20 SECTION

PDFファイルを他の人と共有する

複数人でファイルを共有できるのでリモートワークで役立つ

資料や届出書、報告書など、複数の人でファイルを共有するような場合、SECTION03-19で説明したDocument Cloudを使うことで共有できます。社外のスタッフや、出張先での利用など、役に立つ場面は多いでしょう。なお共有するには、メンバーを招待する必要があります。

ユーザーを招待する

1. Adobeアカウントにログインした状態で、「このファイルを他のユーザーと共有」をクリック。

2. 送り先のメールアドレスと、メッセージを入力し、「送信」をクリック。

3. ファイルがクラウドに保存され、左上に「共有」と表示される。相手はメールにあるリンクをクリックするとファイルを見られる。

共有を解除する

1. 「ホーム」タブをクリックし、「共有」の「自分が共有」をクリック。

2. ファイルをクリック。「ファイルの共有を解除」をクリック。

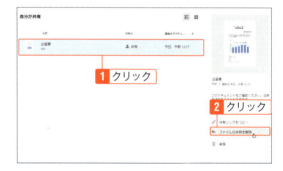

3. 「共有解除」をクリック。

4. 共有が解除された。

> **ONE POINT クラウド上の共有ファイルを削除するには**
>
> ファイルを共有する際にDocument Cloud上に保存されますが、クラウド上から削除する場合は、手順2の画面右下にある「削除」をクリックします。

03-21 SECTION

コメントにメンションを使う

特定の人に向けてのコメントができる

TwitterやInstagramでおなじみのメンションですが、Acrobat Readerでも使えます。注釈のボックス内に、「@」が用意されているので、クリックして相手を指定するだけです。相手にはメールが届き、ワンクリックでファイルを開けるようになっています。なお、ここでの操作はアドビアカウントが必要です。

@を使ってコメントする

1. アドビアカウントにログインした状態では、SECTION03-07の手順2の画面にボックス内に「@」が表示される。「@」をクリック。

ONE POINT　@マークがない

アドビアカウントにログインしていないと「@」マークが表示されません。ログインして操作してください（SECTION03-18参照）。

2. メールアドレスを入力。一覧から名前やアドレスを選択することも可能。

3. 相手にはメールが届き、「開く」をクリックしてファイルを開ける。

Chapter

04

無料ソフトで
PDFを作成／編集しよう

例えば「PDFにパスワードを設定したい」「複数のPDFファイルを1つにしたい」など、より実用的に使いたいとき、Chapter02とChapter03で紹介したAcrobat Reader DCではできません。そのようなときに使える無料ソフトがあるので紹介します。

04-01

ペイントで作成したイラストや ワードパッドの文書などをPDFにする

Windowsなら、専用ソフトが無くても簡単に変換できる

ペイントで作成したイラストやワードパッドで作成した文書などをPDFにしたいとき、Windows 11または10を使っていれば、特別なソフトを使わなくても、印刷画面から簡単にPDFにできます。基本的に印刷できるものはPDFにすることが可能です。ここでは、Windowsに搭載されている機能とフリーソフトを使う方法の2つを説明します。

ペイントで作成した絵をPDFに変換する

1 ペイントで絵を描き、「ファイル」タブの「印刷」→「印刷」をクリック。

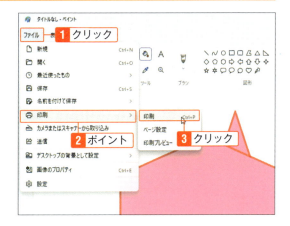

2 「Microsoft Print to PDF」を選択し、「印刷」ボタンをクリック。

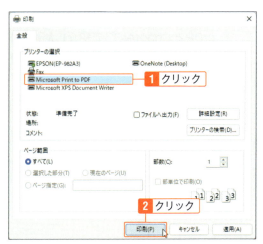

ONE POINT　Microsoft Print to PDFとは

Windows 11または10には、「Microsoft Print to PDF」というPDF変換機能が標準搭載されています。これにより「ペイントで描いた絵」「ワードパッドで作った文書」「ブラウザーで開いたホームページ」など、印刷できるものなら何でもPDFにできます。Windows 10より前のパソコンで使う場合は、次のページで紹介するCubePDFなどのフリーソフトを使います。

3. 保存場所を指定し、ファイル名を入力して「保存」ボタンをクリック。PDFファイルが保存される。

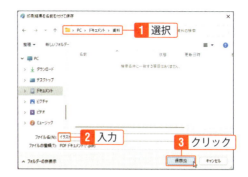

フリーソフト「CubePDF」を使ってPDFに変換する

1. 「印刷」ダイアログで「CubePDF」を選択し、「印刷」ボタンをクリック。

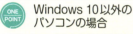

> **ONE POINT　Windows 10以外のパソコンの場合**
>
> Windows 11または10以外のパソコンではフリーソフトを使って変換します。ここでは「CubePDF」というソフトを使って解説します。

2. 「…」をクリックして保存先を指定し、「変換」ボタンをクリック。

> **ONE POINT　CubePDFとは**
>
> PDFへの変換やセキュリティ設定などができる人気のフリーソフトで、http://www.cube-soft.jp/cubepdf/からダウンロードできます。なお、CubePDFのインストールする際に、同社の別のアプリもインストールするか否かの画面があるので、不要な場合はチェックをはずしてください。後からアンインストールした場合でもCubePDFはそのまま使えます。

04-02

WebページをPDFファイルとして保存する

更新頻度のあまり高くないWebページに向いている

Webページを他の人に知らせたいとき、アドレスをメールなどで教えてもよいですが、何度も見るようであれば、その都度アクセスするのも面倒です。WebサイトをPDFファイルで保存して渡せば、レイアウトをくずさずに、そのままの状態で見てもらうことができます。

Microsoft Edgeを使用している場合

1 Microsoft EdgeでPDFにしたいWebページを表示し、右上の「…」メニューをクリックして「印刷」をクリック。

2 プリンターの「V」をクリックし、一覧から「PDFとして保存」(見えない場合はスクロール)にして「印刷」ボタンをクリック。

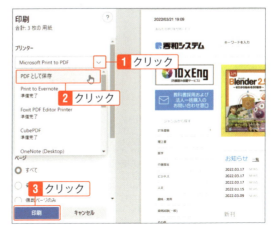

Google Chromeを使用している場合

1. Google Chromeで、Webページを表示してをクリックし、「印刷」をクリック。

> **ONE POINT　Google Chromeとは**
>
> Googleが提供しているブラウザーです。Webページの一部分をPDFにすることも可能です（SECTION04-03のONE POINT参照）。

2. 「送信先」の▼をクリックし、「PDFに保存」を選択。

3. 「保存」ボタンをクリック

4. 保存場所を指定し、ファイル名を入力して「保存」ボタンをクリック。

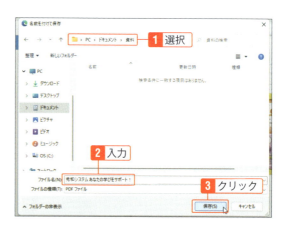

04-03 SECTION

Webページの一部分をPDFにする

画像ファイルにしてからPDFにするより簡単

SECTION04-02の方法を使うと、表示しているページ全体がPDFになります。ページ内の一部分だけをPDFにしたいときは、Microsoft EdgeやGoogle Chromeで簡単にできます。画面をキャプチャーして画像ファイルにし、その後PDFに変換するより楽です。

ページ内の一部を選択してPDFに変換する

1. Microsoft EdgeでWebページを表示し、PDF化したい部分をドラッグで選択する。
   右上の「…」ボタンをクリックし「印刷」をクリック。

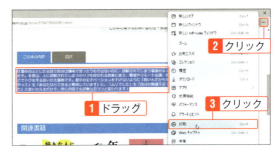

2. スクロールして「その他の設定」をクリック。

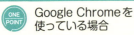

ONE POINT　Google Chromeを使っている場合

Google Chromeの場合は、範囲を選択後、「印刷」画面で「詳細設定」をクリックし、「選択したコンテンツのみ」にチェックを付けます。

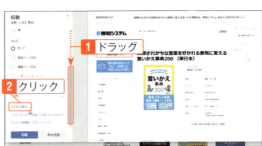

3. 「選択範囲のみ」にチェックを付けて「印刷」ボタンをクリック。

ONE POINT　「選択範囲のみ」がない

PDFにする箇所を範囲選択しないと「選択範囲のみ」が表示されません。

04-04 SECTION

メールをPDFファイルとして保存する

ひんぱんに見返す重要メールをPDFで保管

特定のメールをファイルとして持っておきたい場合は、PDFにしましょう。ここでは、Windows 11に最初からインストールされている「メール」アプリを使って解説します。メールアプリの「印刷」ダイアログで「プリンター」を選択して変換できます。

メールの内容をPDFに変換する

1 PDFにしたいメールをクリックして表示させ、右上の「…」ボタンをクリックして「印刷」をクリック。

2 プリンターを「Microsoft Print to PDF」(Windows 11と10以外はSECTION 04-01と同様にCubePDF)にして「印刷」ボタンをクリック。

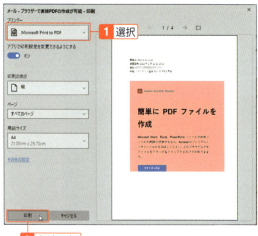

04-05 SECTION

横向きになっているページを縦向きにして保存する

スキャナーで読み取ったPDFで特に役立つ

SECTION02-15で横向きになったPDFを縦向きに変えて閲覧する方法を紹介しましたが、Acrobat Reader DCではそのまま保存できないので、次回開いたとき、また縦向きに直さなければなりません。「pdf_as」というフリーソフトを使って縦向きの状態に保存しておけば、次回以降も縦向きで開けます。

横向きの文書を縦向きにして保存する

1 pdf_asのアイコンをダブルクリック。

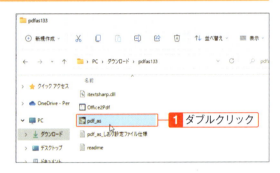

ONE POINT　pdf_asとは

PDFファイルの結合・分割やパスワード設定などをシンプルな画面で操作できる便利なフリーソフトです。SECTION04-05から04-14までは、このpdf_asで解説しています。利用登録の必要はなく、http://uchijyu.s601.xrea.com/wordpress/pdf_as/にアクセスし、「ダウンロード」にあるリンクからダウンロードして使えます。なお、ダウンロードしたファイルはZIP形式で圧縮されているので、展開して使用してください（SECTION05-05参照）。

2 pdf_asのウィンドウ内にPDFファイルをドラッグアンドドロップ。あるいは、「ファイル」メニューの「ファイルを追加」から開く。

3. ファイルをクリックし、「右回転」ボタンをクリック。複数のファイルを追加してファイルを選択しない場合はすべてのページが回転する。

4. 何ページから何ページ目を回転させるかを指定し、「OK」ボタンをクリック。

5. 回転させたファイルが作成される。「OK」ボタンをクリック。

元のファイルのファイル名

回転させたファイルは新しいファイルとして保存され、元のファイルは先頭に【元ファイル】と付いたファイル名になります。なお、すでに【元のファイル】がある場合は上書きするか否かのメッセージが表示されます。

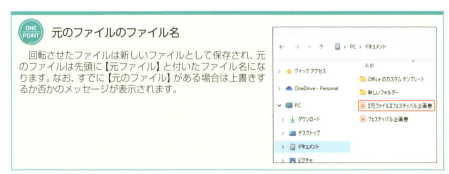

作成者やタイトルなどの情報を修正する

第三者にPDFを渡すとき、自分の情報を出したくない場合に

PDFファイルを作成／変換すると、ほとんどの場合、作成者（自分）の名前など詳細情報が含まれます。自分の名前が情報として含まれると困る場合は、編集不可の設定がされているファイルでなければ、作者名を削除／変更できます。タイトルやキーワードも変更できます。

作成者を削除する

1. SECTION04-05の手順3の画面で、ファイルをクリックして、「PDFプロパティ設定」ボタンをクリック。

ONE POINT　プロパティの変更

「pdf_as」を使うと、Acrobat Reader DC で「ファイル」メニュー→「プロパティ」で表示されるタイトル、作成者、キーワードなどの情報を変更できます。ただし、文書の変更ができないように設定されたPDFは、修正および削除はできません。

2. 作成者を [Delete] キーで消し、「OK」ボタンをクリック。次の画面で「OK」ボタンをクリックすると新しいファイルが作成される。元のファイルは先頭に【元ファイル】と付いたファイル名になる。

04-07 SECTION

PDFにパスワードを設定する

社外秘のPDFにパスワードを付けてセキュリティを強化する

「特定の人にだけ見せたい」「他の人に見られたくない」といった重要な文書では、PDFを使うことでパスワードを知っている人しか開けないようにできます。パスワードを設定すると、ファイルを開くときにパスワードの入力画面が表示されるようになります。

パスワードを設定する

1. SECTION04-05の手順3の画面で、ファイルをクリックして、「セキュリティ設定」ボタンをクリック。

2. 読取パスワードを入力し、「OK」ボタンをクリック。次の画面で「OK」ボタンをクリックすると新しいファイルが作成され、元のファイルは先頭に【元ファイル】と付いたファイル名になる。

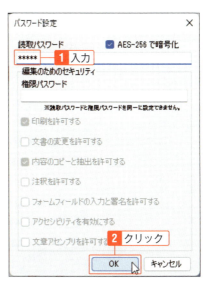

ONE POINT 読取パスワードと権限パスワードの違い

「読取パスワード」は、ファイルを開く際のパスワードです。「権限パスワード」は、印刷やコピーの権限を解除するときに使います（SECTION04-08で説明します）。読取パスワードと権限パスワードを同じにすることはできません。

印刷やコピーができないようにする

請求書や契約書などでよく使う設定

「印刷できないようにしたい」「文章をコピーされたくない」といったときにもPDFが役立ちます。ファイルを開くことはできても、印刷やコピーの操作ができないようにすることができます。同時に、権限を解除するときに使うパスワードも設定します。

印刷とコピーを禁止するPDFを作成する

1 SECTION04-05の手順3の画面で、ファイルをクリックして、「セキュリティ設定」ボタンをクリック。

2 権限パスワードを入力し、「印刷を許可する」と「内容のコピーと抽出を許可する」のチェックをはずして「OK」ボタンをクリック。次の画面で「OK」ボタンをクリックすると、新しいファイルが作成され、元のファイルは先頭に【元ファイル】と付いたファイル名になる。

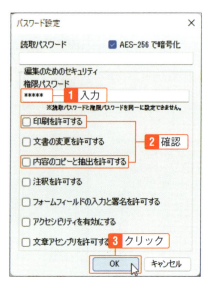

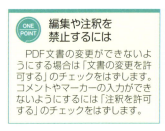

編集や注釈を禁止するには

PDF文書の変更ができないようにする場合は「文書の変更を許可する」のチェックをはずします。コメントやマーカーの入力ができないようにするには「注釈を許可する」のチェックをはずします。

複数のPDFを結合して1つのファイルにする

WordからのPDFとスキャナーからのPDFなどを合体できる

例えば「スキャナーで読み取ったファイルが複数に分かれてしまった」場合などに、後から1つのファイルにすることができます。また、毎月の支払明細なども、毎回開くのが面倒なうえにファイルの数がどんどん増えますが、1つのファイルにまとめておけば、1回開くだけになるので便利です。

複数のPDFファイルを結合する

 SECTION04-05の手順3の画面で、複数のファイルを追加し、「結合」ボタンをクリック。

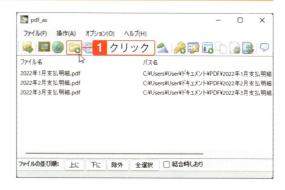

ONE POINT 結合時にしおりを付ける

手順1の画面右下にある「結合時しおり」にチェックを付けて結合すると、ファイル名を使ったしおりを付けることが可能です。

ONE POINT ページの順序を入れ替えたい場合は

ファイルをクリックし、下部にある「上に」または「下に」ボタンをクリックすると順序を入れ替えることができます。また、上部の「ファイル名」をクリックすると、昇順・降順に並べ替えられます。

 保存する場所を指定し、ファイル名を入力して、「保存」ボタンをクリック。次の画面で「OK」ボタンをクリックする。

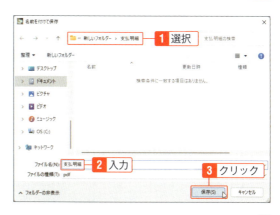

04-10 SECTION

後から別のPDFを差し込んでページを追加する

Wordで作成したPDF資料にExcelをPDFにして差し込みたいときなどに

SECTION04-09の「結合」は、選択したファイルを1つのファイルにしますが、ここで紹介する「追加」は、選択したファイルに別のファイルを差し込みます。何ページ目に入れるかを指定することができるので、入れ忘れたページを追加したいときにも役立ちます。

ページの途中にファイルを追加する

1. SECTION04-05の手順3の画面で、ファイルをクリックし、「追加」ボタンをクリック。ダイアログが表示されたら「OK」をクリック。

2. 追加するファイルを選択し、「開く」ボタンをクリック。

3. 何ページ目に入れるかを入力し、「OK」ボタンをクリック。次の画面で「OK」ボタンをクリックすると新しいファイルが作成され、元のファイルは先頭に【元ファイル】と付いたファイル名になる。

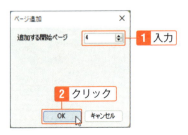

04-11

特定のページだけを取り出して
ファイルを作成する

資料や報告書の中から1ページだけを抜き出して保存できる

1年分の支払明細から3月分の支払明細だけを取り出して使いたいときなど、「必要なページがあるけれど、すべてのページは要らない」といったときには、そのページだけを取り出すことができます。その際、新しくファイルが作成されるので、元のファイルが削除されることはありません。

ページを取り出して別ファイルにする

1. SECTION40-05の手順3の画面で、ファイルをクリックし、「抽出」ボタンをクリック。

2. 何ページ目から何ページ目までを取り出すかを指定し、「OK」ボタンをクリック。次の画面で「OK」ボタンをクリック。

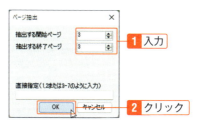

3. 【抽出】と付いた名前の新しいファイルが作成される。

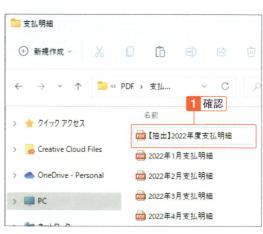

ONE POINT　すべてのページを分割するには

ここでは特定のページを抽出して保存しますが、すべてのページをバラバラにして保存したい場合は、手順1で「分割」ボタン 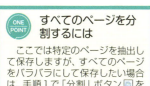 をクリックします。「分割」ボタンをクリックすると、ページ数分のファイルが作成されます。

04-12 SECTION

ファイル内の特定のページを削除する

ページ数が多い資料でも、実際必要なのは数ページといったときに

スキャナーで読み取ってPDFを作成した場合、間違って不要なページをスキャンしてしまうことがありますが、わざわざスキャンしなおさなくても、後から削除できます。また、大量のページでPDFのサイズが大きくなってしまった場合、不要なページを削除すれば軽くなります。

ページを指定して削除する

 SECTION04-05の手順3の画面で、ファイルをクリックし、「削除」ボタンをクリック。

> **ONE POINT　間違えて別のファイルを追加した場合**
>
> pdf_asに追加したファイルを間違えた場合は、ファイルをクリックし、キーボードの[Delete]キーを押すか、ファイルを選択して下部の「除外」ボタンをクリックすると削除できます。

 削除するページのはじめと終わりのページ番号を入力し、「OK」ボタンをクリック。新しいファイルが作成され、元のファイルは先頭に【元ファイル】と付いたファイル名になる。

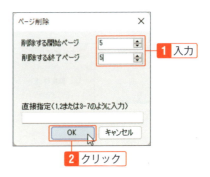

> **ONE POINT　フリーソフトでファイルサイズを小さくするには**
>
> pdf_asでも、上部の「PDF最適化」ボタンを使えば、PDFファイルのサイズを小さくすることが可能です。

04-13 SECTION

写真やイラストなどを1つのPDFにする

多数の関連画像がある資料などを、スッキリまとめたい時に

たとえば、メールで何枚もの写真を送るようなとき、PDFで1つのファイルにして送ってあげれば、相手は1枚1枚開かなくてもよくなります。また、画像を多数添付すると、メールの容量が大きくなりますが、PDFで一つのファイルにまとめた方が、容量が小さくなる場合もあります。

複数の写真をPDFファイルにする

1. SECTION04-05の手順3の画面で、画像ファイルを追加し、「画像ファイルをPDFに変換」ボタンをクリック。

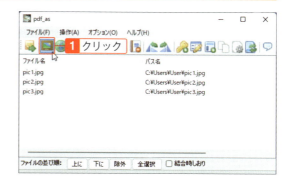

 変換できる画像ファイルの種類

pdf_as では、JPG、PNG、BMP、TIF、GIF形式の画像ファイルをPDFに変換できます。形式の異なる複数の画像ファイルを追加して1つのPDFファイルにすることも可能です。

2. ファイルの場所を指定し、ファイル名を入力して「保存」ボタンをクリック。次の画面で「OK」ボタンをクリックするとPDFファイルが作成される。

04-14 SECTION

ヘッダーやフッターを追加する

資料の隅に、ページ番号やタイトルなどを入れられる

「20ページ参照」のようにページ番号で移動したいとき、各ページの上部や下部にページ番号が入っていたほうが便利です。特に、プレゼンや講習会で配布する場合は、ページ番号が欠かせません。pdf_asでは、ページ番号だけでなく、会社名やタイトルなども入れることが可能です。

ページ番号をフッターに入れる

1. SECTION04-05の手順3の画面で、ファイルをクリックし、「ヘッダー・フッター設定」ボタンをクリック。

2. フッターの「ページ番号のみ」をクリック。表示する位置を選択し、「OK」ボタンをクリック。新しいファイルが作成され、元のファイルは先頭に【元ファイル】と付いたファイル名になる。

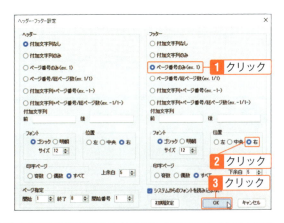

 ヘッダー/フッターに会社名などを入れるには

会社名やタイトルなど任意の文字を入れたい場合は「付加文字列のみ」や「付加文字列＋ページ番号」などを選択し、「付加文字列」ボックスに会社名やタイトルなどを入力します。

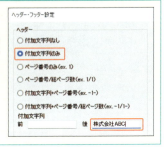

04-15 SECTION

白黒のPDFを作成する

印刷時のインクを節約したいときに

Acrobat Reader DC（SECTION03-14）では、カラーのPDFファイルを白黒で印刷する方法を説明しましたが、ここでは、白黒のPDFファイルの作成について説明します。カラーの写真を入れても、白黒の資料にできます。

グレースケールにする

1 Acrobat Reader DCで白黒にしたいPDFを開き「ファイルを印刷」ボタンをクリック。

2 「印刷」ダイアログが表示されたら、「Microsoft Print to PDF」または「Cube PDF」を選択して、「グレースケール（白黒）で印刷」にチェックを入れ、「印刷」ボタンをクリック。右下のプレビューで確認できる。

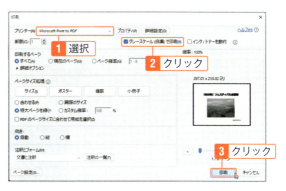

3 ファイルの場所を指定し、ファイル名を入力して「保存」ボタンをクリックすると、PDFファイルが作成される。

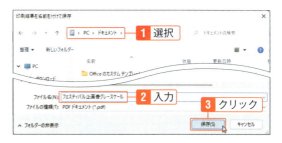

04-16 SECTION

しおりを作成する

重要なページやよく見るページをすぐ開けるようにできる

SECTION02-12でしおりを使った閲覧方法について説明しましたが、ここではしおりの作成方法について説明します。何十ページもある文書では、目的のページを探すのが大変なので、しおりを作成して、クリックで該当ページに移動できるようにしましょう。ここでは「Foxit PDF Reader」というフリーソフトで解説します。

特定のページにしおりを設定する

1 Foxit PDF Readerを起動し、ファイルを開く。下部の▶または◀をクリックして、しおりを追加したいページに移動する。

2 「ホーム」タブの「しおり」ボタンをクリック。

ONE POINT Foxit PDF Readerとは

軽量、高速、機能多彩な無料ソフトとして世界中で使われているPDF閲覧ソフトです。Acrobat Reader DCでは対応していない「しおりの作成」や「リンクの設定」などができます。https://www.foxit.co.jp/products/foxit-pdf-reader/にアクセスし、「ダウンロード」をクリックした画面で氏名とメールアドレス、使用目的を入力すると、メールでダウンロードのリンクが送られてきます。

3. しおりの名前を入力し、[Enter]キーを押す。

4. 同様に他のページにもしおりを設定し、「上書き保存」ボタンをクリック。

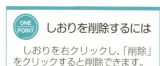

> **ONE POINT　しおりを削除するには**
>
> しおりを右クリックし、「削除」をクリックすると削除できます。

しおりを階層化する

1. 上位のしおりの下にドラッグアンドドロップ。その際、点線が表示されるのを確認してからマウスのボタンを離す。

2. しおりを階層化した。

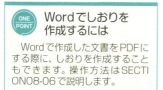

> **ONE POINT　Wordでしおりを作成するには**
>
> Wordで作成した文書をPDFにする際に、しおりを作成することもできます。操作方法はSECTION08-06で説明します。

04-17 SECTION

Webページや他のファイルへのリンクを設定する

参照してほしいWebページがある場合は、必ずリンクを入れよう

文書に参照のWebページを入れる場合、読む人にとってURLをコピーし、ブラウザーのアドレスバーに貼り付ける操作は一手間かかります。そこで、URLに目的のWebページへのリンクを設定しておけば、クリックするだけでそのページにアクセスできるので便利です。

リンクを設定する

 Foxit PDF Readerでファイルを開き、「ホーム」タブの「リンク」ボタンをクリック。

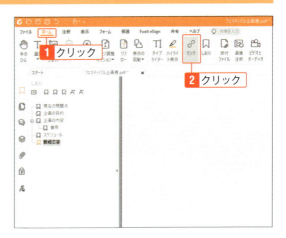

ONE POINT　リンクとは

クリックすると他のページやホームページに移動できる仕組みを「リンク」といいます。

 リンクを設定する部分（文字でも画像の上でも可能）をドラッグして囲む。

ONE POINT　リンクをクリックするとブロックされる

リンク先が、インターネット上のWebサイトの場合、悪意のあるサイトへのアクセスやデータを収集されることを防ぐために、リンクをクリックしたときに警告メッセージが表示されることがあります。その際、ブロックすると、そのサイトへは移動できなくなります。移動できるようにする方法は、SECTION11-09で説明します。

スタイルの「∨」をクリックし、「下線」を選択。

> **ONE POINT　境界線のスタイル**
>
> 境界線のスタイルとは、リンクに設定する線の種類のことです。「実線」「破線」「下線」から選択できます。

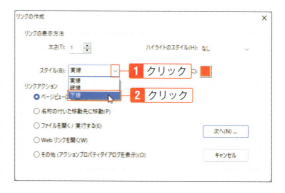

 「Webリンクを開く」をクリックし、「次へ」ボタンをクリック。

> **ONE POINT　リンク先を他のファイルにするには**
>
> 手順4の画面で「ファイルを開く/実行する」を選択して「次へ」ボタンをクリックすると、「開く」ダイアログが表示されるので、ファイルを指定して「開く」ボタンをクリックします。

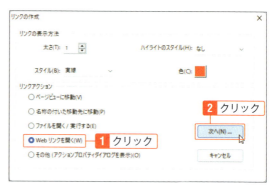

 URLを入力し、「OK」ボタンをクリック。その後、元の画面で「上書き保存」をクリックしてファイルを保存する。

> **ONE POINT　PDF-XChange Viewer**
>
> PDF-XChange Viewer（https://forest.watch.impress.co.jp/library/software/pdfxchange/）もFoxit PDF Readerと同様にしおりやリンクなどの編集ができるフリーソフトです。透かしやフォームの作成なども可能ですが、無料版には「DEMO」ラベルが入るので、ラベルを非表示にしたい場合は有料版を申し込む必要があります。

04-18

Microsoft EdgeでPDFに書き込む

ブラウザー上で自由に書き込めて保存もできる

インターネット上のPDFを見る時、別途ソフトを使わなくても、Windows 11または10の標準ブラウザー「Microsoft Edge」でPDFを表示できます。さらに、表示したPDFにメモ書きしたり、マーカーを引いたりすることが簡単にできるので紹介しましょう。また、書き込んだ後にパソコンに保存することも可能です。

手書き文字を入れる

1. Edgeで表示しているPDFの画面で、上部にある「手描き」の「∨」をクリック。

2. 色を選択し、太さのスライダをドラッグして選択する。

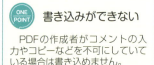

書き込みができない
PDFの作成者がコメントの入力やコピーなどを不可にしている場合は書き込めません。

3. 自由に書き込める。「消去」ボタンをクリックしてなぞると削除できる。

マーカーを引く

1. 「強調表示」の「∨」をクリックし、色を選択。

2. 文字の上をドラッグするとマーカーを引ける。こちらも「消去」ボタンで削除できる。

> **Microsoft EdgeでPDFを開く**
>
> パソコンに保存してあるPDFを「Microsoft Edge」で開くこともできます。ただし、まれに文字化けが起きることもあるので、Acrobat Reader DCを使用することをおすすめします。なお、デフォルト以外のソフトでPDFを開く方法はSECTION11-02で解説します。

ファイルを保存する

1. 「名前を付けて保存」ボタンをクリック。

2. 保存先を選択し、ファイル名を入力して「保存」ボタンをクリック。

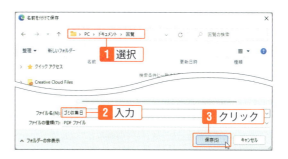

入力欄のあるPDF文書を作成する

PDFでアンケートフォームや申請書などを作れる

アンケート用紙には、選択肢にチェックマークを付ける欄がありますが、そういったアンケートもPDFにすると、クリック操作でチェックマークを付けることができます。そうすれば、SECTION03-04のようなチェックマークを描く必要がなくなります。

元になるPDFファイルを開く

1. あらかじめExcelやWordなどでアンケートの文書を作成しPDFにしておく。

2. Foxit PDF Editorで作成したPDFファイルを開く。

> **ONE POINT　Foxit PDF Editorとは**
>
> 　Foxit PDF Reader同様、Foxit社のソフトですが、こちらはPDFの直接編集やフォームの作成、OCR処理など一通りの機能が使えます。有料ですが、評価版を14日間無料で使えるので気に入ったら有料に切り替えるとよいでしょう。Foxit Japanのホームページ（https://www.foxit.co.jp/products/foxit-pdf-editor/pdf-editor/）にある「Foxit PDF Editor」からインストールします。
> 　なお、試用期間を過ぎるとここで解説する機能は使えなくなります。

チェックボックスを作成する

「フォーム」タブの「チェックボックス」をクリックし、チェックボックスを入れる部分をドラッグ。

ONE POINT フォームとは

指定場所に文字を入力したり、チェックを付けたりできる枠をフォームといい、アンケートや申請書などのPDFで使われます。ここではチェックを付ける「チェックボックス」と一覧の選択肢から選択する「リストボックス」の作り方を説明します。なお、有料のAcrobat DCでの作成方法はSECTION09-13で説明します。

チェックボックスの名称を入力。

同様に他のチェックボックスも作成する。終わったらチェックボックス以外の部分をクリック。ドラッグで位置を移動できる。

ONE POINT フォームの自動認識機能を使う

Foxit PDF Editorには、フォームの自動認識機能を使う方法もあります。ExcelやWordで土台となる文書を作成する際、チェックボックスやテキストボックスを入れる位置に□の図形を入れてPDFを作成しておきます。Foxit PDF Editorで開いたら、「フォーム」タブの「フォームの自動認識」ボタンをクリックすると、自動的にフォームが作成されます。完璧にはいきませんが、上手くいかなかった箇所を修正して使うとよいでしょう。

リストボックスを作成する

1. 「リストボックス」ボタンをクリックし、追加する部分をドラッグ。

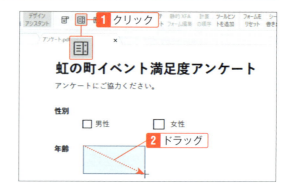

2. リストボックスの名称を入力し、「すべてのプロパティ」をクリック。

3. 「オプション」タブの「項目」ボックスに選択肢を入力し、「追加」ボタンをクリック。

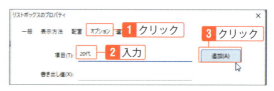

4. 同様に他の選択肢も入力して追加する。入力が終わったら「閉じる」ボタンをクリック。一通り作成したら、「ファイル」メニューの「名前を付けて保存」をクリックしてファイルを保存する。

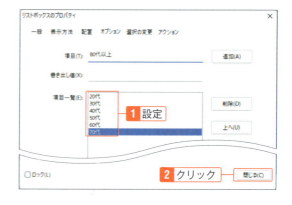

Chapter 05

オンラインサービスを活用しよう

PDFの編集は、ソフトをインストールしないとできないと思われがちですが、オンラインで手軽にできるサービスがあります。ブラウザ上で操作できるので、わざわざソフトをインストールしなくてもすみますし、スマホでも使えます。また、ネット上にファイルを保存して使えるクラウドサービスを使うと、どの端末からでもPDFを使えるようになり、他の人と共有することもできます。

05-01 SECTION

オンラインでPDFに変換する

共用のパソコンで、勝手にソフトをインストールできない場合などに

文書ファイルや画像ファイルなどをPDFにしたいとき、オンラインツールを使うと、別途ソフトを使わずに変換することができます。共有のパソコンなどで、PDFを扱えるソフトがなく、インストールもできないといった場合にも活用できます。ここでは、「PDF24 Tools」とアドビのオンラインサービスでのPDFへの変換方法を解説します。

PDF24 ToolsでPDFに変換する

1 PDF24 Tools（https://tools.pdf24.org/ja/）にアクセスし、「PDFコンバーター」をクリック。

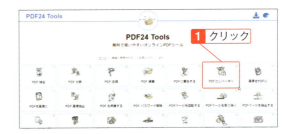

 PDF24 Toolsとは

PDF24 Toolsは、ドイツのGeek Software GmbH社が運営しているサービスです。PDFに変換はもちろん、PDFから他のファイル形式への変換、ファイルの結合、分割など、さまざまな編集がオンラインで可能です。ファイルの転送は暗号化され、アップロードしたファイルは1時間後には自動的にサーバーから削除されます。次のSECTIONからSECTION05-14までPDF24 Toolsで解説します。

2 「PDFに変換する」をクリック。

 PDFコンバーターとは

WordやExcel、画像ファイルなどのファイル形式からPDFに変換できる機能です。また、PDF以外のファイルへ変換もできます（次のSECTION参照）。

3 「ファイルを選択する」をクリックして変換したいファイルを追加する。あるいはファイルをドラッグする。

4 「PDFに変換する」をクリック。

5 「ダウンロード」をクリック。

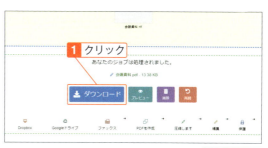

> **ONE POINT 画面が日本語でない場合**
>
> 日本語以外になっている場合は、PDF24 Toolsのホーム画面右下にあるボタンをクリックして「Japanese」を選択してください。

6 「名前を付けて保存」をクリックして保存する（Microsoft Edgeの場合）。

> **ONE POINT ダウンロードしたファイルの保存**
>
> ブラウザーによってダウンロードをした後の操作が異なり、Google Chromeの場合は、「ダウンロード」をクリックするとそのまま保存されます。もし、Google Chromeでも名前を付けて保存したい場合は、設定画面の「詳細設定」→「ダウンロード」の画面で「ダウンロード前に各ファイルの保存場所を確認する」をオンにする必要があります。

AcrobatオンラインサービスでPDFに変換する

1 Acrobatオンラインサービス（https://www.adobe.com/jp/acrobat/online.html）にアクセスし、右上の「ログイン」をクリックしてアドビのアカウントでログインする。

> **ONE POINT** Acrobatオンラインサービスとは
>
> 　Acrobatで有名なアドビですが、2021年2月にブラウザー上でPDFの編集ができるオンラインサービスを開始しました。アドビのサービスなので、確実なPDF変換ができ、セキュリティ面でも安心して利用できます。ただし、無料で利用するには制限があり、テキストや注釈の追加、署名の追加など、Acrobat Reader DCにある機能はアドビアカウントにログインすれば無制限で使えますが、PDF変換や圧縮、ページの並べ替えなどは24時間ごとに1つのファイル、7日ごとに10件となっています（2022年4月執筆時点）。フルに活用したい場合は、有料のAcrobat DC（Chapter09参照）に申し込むと、回数制限がなく、PDFの編集やOCRでのスキャン編集など高度な作業も可能になります。

2 「すべてのツール」をクリックし、「Web」をクリック。

3 「PDFに変換」をクリック。

4 「マイコンピューター」をクリック。「ユーザーのデバイスからファイルを追加」をクリックして変換したいファイルを追加する。あるいはファイルをドラッグアンドドロップする。

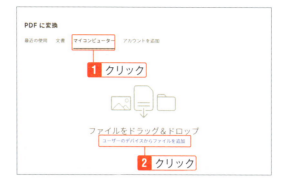

5 Adobe Document Cloudに保存される。パソコンに取り込む場合は、右上の「ダウンロード」ボタンをクリックして保存する。

 Smallpdfとは

Smallpdf (https://smallpdf.com/jp) も、インターネット上でPDFの編集ができるサービスです。「PDFへの変換」をはじめ、「結合」「分割」「回転」「パスワード設定・解除」などさまざまな編集が可能です。執筆時点（2022年4月）では、無料で使えるのは1日に2回の操作ですが、有料版の試用期間がありメールアドレスとクレジットカード情報を入力することで、7日間無制限で利用できます。その後も無制限で使いたい場合は、有料版を申し込んでください。また、スマホアプリもあり、iOSはApp Store、AndroidはPlayストアからダウンロードできます。

▲Smallpdf (https://smallpdf.com/jp) にアクセスし、「全てのPDFツールを確認」をクリック

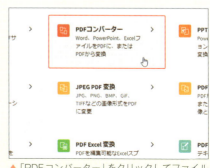

▲「PDFコンバーター」をクリックしてファイルを追加し変換する

05 オンラインサービスを活用しよう

05-02 SECTION

オンラインでPDFをWordや Excel形式に変換する

WordやExcel形式にすることで、PDFを修正できる

PDF24 Toolsでは、SECTION05-01とは逆にPDFからWordなどの形式に変換することもできます。PDFの文書を修正したいとき、Wordに変換すれば、もともとあった文字を修正することができます。ただし、完璧には再現できないこともあるので、変換後に整え直してください。

PDFをWordに変換する

1 PDF24 Toolsのホーム画面で「PDFコンバーター」をクリックし、「PDFを...へ変換する」をクリック（SECTION05-01の手順2の画面）。

2 「ファイルを選択する」をクリックしてファイルを追加する。

3 「フォーマット」の「V」をクリックし、「Word」を選択し、「変換」ボタンをクリック。その後、SECTION05-01と同様に「ダウンロード」をクリックして保存する。

> **ONE POINT** その他のファイル形式に変換するには
>
> ここではWord形式に変換しましたが、手順3の画面でExcelやPowerPoint、テキスト、HTMLなどのファイル形式などに変換することもできます。

05-03

オンラインでページを回転させる

Acrobat Reader DCでは回転した状態を保存できない

横向きになったページを縦向きに直したいとき、PDF24 Toolsを使って縦向きにして保存できます。どちらの方向に回転させるかを指定することができ、1ページだけを回転させることも、すべてのページを回転させることもできます。保存しているので、次回開くときには縦向きに直さなくてすみます。

ページを回転する

1. PDF24 Tools（https://tools.pdf24.org/ja/）にアクセスし、「PDFページを回転する」をクリック。

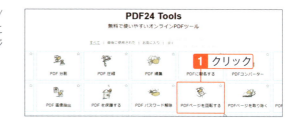

2. 「ファイルを選択する」をクリックしてファイルを追加し、「ページを反時計回りに反転する」または「ページを時計回りに反転する」ボタンをクリック。

3. プレビューを確認し、「PDFを作成」ボタンをクリック。SECTION05-01と同様に「ダウンロード」をクリックして保存する。

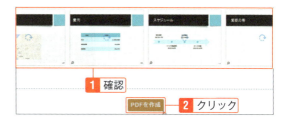

 特定のページのみ回転するには

特定のページのみを回転させたい場合は、下のプレビューでページをクリックして回転させてください。

05-04 SECTION

オンラインでPDFに
文字や画像などを追加する

外出先でもPDF文書のチェックや書き込みができる

PDF24 Toolsでは、文字や図形、写真の追加も簡単にできます。Acrobat Reader DC がインストールされていないパソコンで、資料の校正や申請書への書き込みなどができて便利です。また、臨時で無料版を使ってもらうことで、ソフトを持っていない相手にもコメントを入れてもらえます。

文字を追加する

1. PDF24 Tools（https://tools.pdf24.org/ja/）にアクセスし、「PDF編集」をクリック。

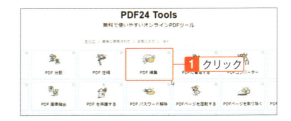

2. 「ファイルを選ぶ」をクリックしてファイルを追加する。

3. 「>」をクリックしてページを表示し、「テキストを追加」ボタンをクリック。

 Acrobatオンラインサービスで文字を追加するには

SECTION05-01で紹介したAcrobatオンラインサービスでも、「テキストを追加」をクリックして無料で文字を追加できます。その際、アドビアカウントでログインが必要です。

文字を入力する。「フォントサイズ」ボックスで文字サイズを設定する。「塗りつぶしの色選択」ボタンをクリックし、色を選択して「Choose」ボタンをクリック。

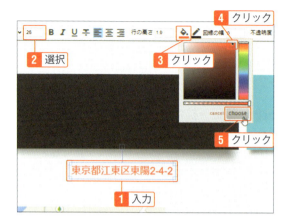

> **ONE POINT　文字を修正したい**
>
> 入力した文字を後から修正したい場合は、文字の上をダブルクリックすると編集できる状態になります。文字サイズや色の変更も可能です。

 左上の「PDFを保存」ボタンをクリック。SECTION05-01と同様に「ダウンロード」をクリックして保存する。

> **ONE POINT　追加した文字や画像を移動・削除するには**
>
> 追加した文字や画像はドラッグで好きな場所に移動できます。削除する場合は、文字または画像をクリックし、キーボードの[Delete]キーを押します。

> **ONE POINT　画像や図形を追加するには**
>
> 手順3で、「図を追加」ボタンをクリックして写真やイラストなどを追加できます。また、図形を追加するには「オブジェクトを追加」をクリックして、図形をクリックして追加し、「塗りつぶしの色選択」ボタンで図形の色を、「図線の色選択」ボタンで枠線の色を選択します。どちらもドラッグで移動ができ、四隅のハンドルをドラッグしてサイズ変更も可能です。

05-05

オンラインでPDFファイルを分割する

分割→修正→統合すれば、特定のページだけのPDFができる

PDF24 Toolsには、ファイルを分割して複数のファイルにできる機能もあります。プレビューを見ながら任意のページで分割でき、一度に複数分割することが可能です。なお、ダウンロードしたファイルはZIP形式で圧縮されているので、展開して使用してください。

すべてのページを分割する

1 PDF24 Tools（https://tools.pdf24.org/ja/）にアクセスし、「PDF分割」をクリック。

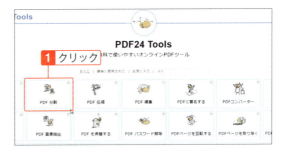

2 「ファイルを選択する」をクリックしてファイルを追加し、「ページモード」をオン。

3 分割する箇所をクリックして、青いハサミにする。「分割する」ボタンをクリック。

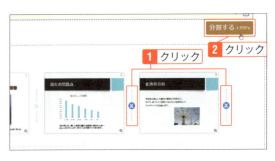

4 「ダウンロード」をクリックしてSECTION05-01と同様に保存する。

5 エクスプローラーで、ダウンロードしたファイルをクリックし、「すべて展開」をクリック。

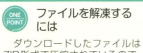 **ファイルを解凍するには**

ダウンロードしたファイルはZIP形式で圧縮されているので、エクスプローラーでファイルを選択して展開する必要があります。

6 保存先を指定し、「展開」ボタンをクリック。展開したフォルダーを開いて使用する。

 PDFをネットにアップロードするのが不安

アップロードしたファイルは1時間後には自動的にサーバーから削除されますが、それでも不安がある人にはデスクトップ版の「PDF24 Creator」があります。ホーム画面の右上にある「デスクトップ版をダウンロードする」ボタンをクリックしてパソコンにインストールできます。

オンラインでページを抽出する

必要なページだけを送りたい時に

前のSECTIONではファイルの分割方法を解説しましたが、必要なページだけを取り出すことも可能です。たとえば、「PDF文書をチェックしたら、1ページだけ修正箇所があった」といったとき、該当ページのみを抽出して送信すれば、メールの容量が少なくてすみます。文書を受け取る側も、すべてのページから探さずにすむので効率的です。

PDFページを抽出する

1 PDF24 Tools（https://tools.pdf24.org/ja/）にアクセスし、「PDFページを抽出する」をクリック。

2 「ファイルを選択する」をクリックしてファイルを追加する。抽出するページをクリック。「ページを抽出する」ボタンをクリックし、SECTION05-01と同様にダウンロードして保存する。

 画像のみ抽出するには

PDFファイル内にある画像のみを抽出することも可能です。PDF24 Toolsのホーム画面で「PDF画像抽出」をクリックした画面で操作します。

05-07 SECTION

オンラインでPDFを結合する

ばらばらになっているPDFファイルを1つにまとめられる

PDF24 Toolsでは、別々のPDFファイルを1つのファイルに結合することができます。スキャナーで読み取る際に別々のファイルになってしまっても、ブラウザー上で1つにまとめられるので便利です。どのページを結合するかをプレビューで決められるので、間違えて別のページを結合してしまうことは少ないはずです。

ファイルを結合する

1 PDF24 Tools（https://tools.pdf24.org/ja/）にアクセスし、「PDF結合」をクリック。

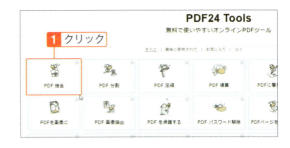

2 「ファイルを選択する」をクリックしてファイルを追加する。ドラッグするか、右下の⊕をクリックして他のファイルも追加する。「PDFを作成」ボタンをクリック。SECTION05-01と同様に「ダウンロード」をクリックして保存する。

ONE POINT 必要なページのみを結合するには

ファイル内の必要なページを選択して結合することも可能です。手順2の画面で、「ページモード」をオンにし、必要なページをクリックして選択して「PDFを作成」ボタンをクリックします。

05-08 SECTION

オンラインでページを並べ替える

ページの順序を並べ替えたい時に

PDFにしたファイルのページ順序が間違えていた場合、やり直す必要はありません。PDF24 Toolsでは、ドラッグ操作で直感的に入れ替えができます。特に、スキャンして作成したPDFでは、順序を間違えてしまうことがありますが、ブラウザー上で手早く並べ替えられるので重宝します。

ファイルを並べ替える

1. PDF24 Tools（https://tools.pdf24.org/ja/）にアクセスし、「PDFページを並べ替える」をクリック。

2. 「ファイルを選択する」をクリックしてファイルを追加し、ページをドラッグして並べ替える。「PDFを作成」ボタンをクリック。SECTION05-01と同様に「ダウンロード」をクリックして保存する。

 後ろから並べ替えるには

手順2の画面で「ソート方法の選択」の「∨」をクリックして「後ろから前へ」を選択すると、後ろから並べ替えることができます。逆順にスキャンしてしまったときに便利です。

05-09 SECTION

オンラインでページを削除する

ページ数が多いPDFに不要なページがあるときは削除する

PDFに不要なページが含まれていた場合、無料のAcrobat Reader DCでは削除できません。Chapter04のようなフリーソフトをインストールすることができないパソコンを使っている場合は、PDF24 Toolsを使ってみましょう。簡単に削除することができます。

ページを削除する

1 PDF24 Tools（https://tools.pdf24.org/ja/）にアクセスし、「PDFページを取り除く」をクリック。

2 「ファイルを選択する」ボタンをクリックしてファイルを追加する。削除するページをクリックしてグレーアウトさせる。「PDFを作成」ボタンをクリックし、SECTION05-01と同様に「ダウンロード」をクリックして保存する。

05-10 SECTION

オンラインでPDFを画像ファイルにする

ページ全体を画像にしてWord文書に貼り付けたい時に

PDF24 Toolsでは、PDFを画像に変換することができます。Word文書に複数のPDFページを貼り付けて、スクラップブックのようにしたい時に役立ちます。SECTION 03-11のスナップショットの場合は、ページごとに操作しなければいけませんが、ここでの方法なら一度に複数ページを画像化できます。

ページ全体を画像ファイルにする

1. PDF24 Tools（https://tools.pdf24.org/ja/）にアクセスし、「PDFを画像に」をクリック。

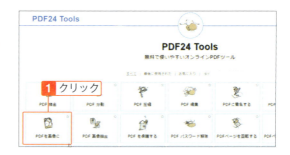

2. 「ファイルを選択する」をクリックしてファイルを追加する。

ONE POINT　変換できる画像ファイル形式
ここで説明する画面で変換できるのは「JPG」または「PNG」です。SECTION05-02の手順3で「SVG」にすることが可能です。

3. 「JPG」または「PNG」を選択し、「イメージに変換する」ボタンをクリック。SECTION05-01と同様に「ダウンロード」をクリックして保存する。

05-11 SECTION

オンラインでPDFにページ番号を入れる

配布するPDFに欠かせないページ番号を簡単に追加できる

WordやExcelなどのファイルをPDFにしたが、後からページ番号が入っていないと気付いたとき、PDF24 Toolsを使えば簡単に入れることができます。わざわざソフトを立ち上げる必要がないので、急いでいるときに便利です。ページ番号を入れる位置やフォントサイズも指定できます。

ページ番号を入れる

1 PDF24 Tools（https://tools.pdf24.org/ja/）にアクセスし、「PDFファイルにページ番号を追加する」をクリック。

2 「ファイルを選択する」をクリックしてファイルを追加する。フォントサイズや位置を選択し、「ページ番号を追加する」をクリック。SECTION05-01と同様に「ダウンロード」をクリックして保存する。

> **ONE POINT ページ番号のみ入れるには**
>
> {NUM}はページ番号、{CNT}は総ページ数なので、{NUM}だけにするとページ番号になります。また、英字を入れることも可能で、たとえば「P{NUM}」と入力すると「P15」となります。

05-12 SECTION

オンラインでファイルサイズを小さくする

画像が多いPDFファイルだと、サイズが大きくなりがち

PDFファイルをメールに添付して送ろうとしたら、サイズが大きすぎて送れないということもあります。そのようなときはファイルを圧縮しましょう。PDF24 Toolsにはファイルの圧縮機能があり、画質を低下させずにファイルサイズを小さくすることができます。

PDFを圧縮する

1. PDF24 Tools (https://tools.pdf24.org/ja/) にアクセスし、「PDF圧縮」をクリック。

2. 「ファイルを選択する」をクリックしてファイルを追加し、「圧縮します」ボタンをクリック。SECTION05-01と同様に「ダウンロード」をクリックして保存する。

さらにファイルサイズを小さくしたい

手順2の画面左下にある「DPI」は解像度です。解像度は、1インチに含まれる「ドット」数なので、数値が小さいほどファイルサイズが小さくなります。ただし、その分画質が粗くなります。もともとファイルサイズが小さい場合は変化がありませんが、ページ数が多く、サイズが大きいファイルは試してみるとよいでしょう。

05-13
オンラインでパスワード付きPDFにする

パスワードで大事なファイルを保護する

SECTION04-07や09-16のパスワード設定もオンラインサービスでできます。セキュリティを強化したいときは、パスワードがないとファイルを開けないようにしましょう。また、同じ画面で、印刷やコピーを不可にできるので、ファイルに制限をかけたい時に役立ちます。

ファイルを保護する

PDF24 Tools（https://tools.pdf24.org/ja/）にアクセスし、「PDFを保護する」をクリック。

> **ONE POINT パスワードを解除したい**
> パスワードを解除する場合は、トップ画面にある「PDFパスワード解除」をクリックし、「有効な暗証番号」ボックスにパスワードを入力して「暗証番号を取り除く」ボタンをクリックします。

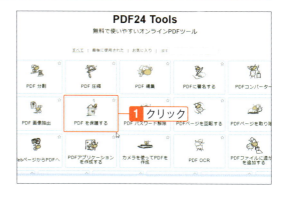

「ファイルを選択する」をクリックしてファイルを追加し、「PDFを開くためのパスワード」を入力。「PDFを保護する」をクリック。SECTION05-01と同様に「ダウンロード」をクリックして保存する。

> **ONE POINT オンラインで印刷や編集などができないようにするには**
> 印刷や編集、コピーができないようにするには、手順2の画面で、ファイルを開くためのパスワードは設定せず、⚙をクリックして「印刷」や「コンテンツの変更」「コンテンツのコピー」のチェックマークをはずします。

05-14 SECTION

オンラインでPDFに署名を入れる

PDF文書に手描きのサインを入れられる

紙の書類と同様に、PDFの文書にサインをすることもあります。PDF24 Toolsでは、PDFのページに手書きの署名を入れることも、スキャンした画像のサインも入れられます。複数の署名を作成しておき、文書によって使い分けることも可能です。

署名を追加する

 PDF24 Tools（https://tools.pdf24.org/ja/）にアクセスし、「PDFに署名する」をクリック。

「ファイルを選ぶ」をクリックしてファイルを追加する。

> **ONE POINT　オンラインでPDFに墨消しするには**
>
> PDF24 Toolsでは、SECTION 09-14の墨消しもできます。ホーム画面で「PDFを黒消しする」をクリックして、個人情報や機密事項を黒く塗りつぶして、データを消去することが可能です。

「署名を追加する」ボタンをクリック。

> **ONE POINT　署名を追加する**
>
> ここでは手書きの署名を入れますが、手順4で「アップロード」や「カメラ」をクリックしてパソコンに保存してある画像や撮影した画像を入れることも可能です。

4. 画面をなぞるかドラッグで署名を入力し、「署名を追加する」ボタンをクリック。

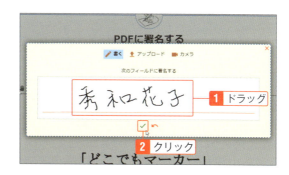

5. 入力した署名をクリック。

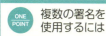

> **ONE POINT　複数の署名を使用するには**
>
> 手順5で「+」をクリックして、別の署名を入力し、使用するときにクリックで選択することも可能です。

6. 署名が追加される。四隅のハンドルをドラッグしてサイズを変更し、ドラッグで移動させる。左上の「PDFを作成」ボタンをクリックし、SECTION05-01と同様に「ダウンロード」をクリックして保存する。

> **ONE POINT　オンラインでPDFに透かしを入れるには**
>
> PDF24 Tools（https://tools.pdf24.org/ja/）のホーム画面で、「PDFファイルに透かしを追加する」をクリックして、透かし文字を入れることが可能です。透かしの位置やフォントサイズを設定することが可能ですが、執筆時点（2022年4月）では、日本語は未対応なので、英字で入力してください。
>
>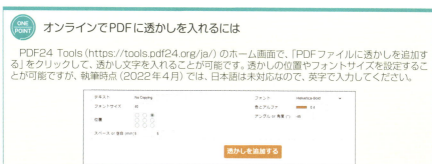

05-15

GoogleドライブにPDFを保存する

Officeソフトと互換性のあるファイルもネット上で作成できる

「Googleドライブ」を使うと、インターネットを介して、どの端末からもファイルを引き出して使うことができます。パソコン上ではなく、ネット上にファイルを保存するのですが、他の人からは見えませんし、大容量のスペースを無料で使えるので、活用するとよいでしょう。

PDFファイルをアップロードする

1 Googleドライブ（https://www.google.com/intl/ja/drive/）にアクセスし、「ドライブに移動」をクリック。

2 Googleアカウントのメールアドレスを入力し「次へ」ボタンをクリック。Googleアカウントを取得してない場合は「アカウントを作成」をクリックして手続きする。

 Googleドライブとは

Googleドライブは、さまざまなファイルをネット上に保存できるサービスです。また、文書（ワープロ）、スプレッドシート（表計算ソフト）、プレゼンテーション（プレゼンテーション）などのファイルをオンライン上で作成することもできるので、Officeソフトがインストールされていないパソコンで役立ちます。利用するにはGoogleアカウントが必要なので、取得していない場合は手順2で「アカウントを作成」をクリックして手続きしてください。

3 パスワードを入力し「次へ」ボタンをクリック。

4 「新規」ボタンをクリック。

5 「ファイルのアップロード」をクリックしてファイルを開く。

6 PDFをアップロードした。

> **無料で使えるGoogleドライブの容量**
>
> 「Googleドライブ」「Gmail」「Googleフォト」、3つのサービスの合計で15 GBまでの容量を無料で使えます。大容量なので、PDFのバックアップとして十分使えます。

Google ドキュメントで PDF 文書を作成する

Word ファイルを Google ドキュメントで編集し、PDF にもできる

Google ドキュメントは、Google のワープロアプリです。「見積書を作成して PDF で提出したい」といったとき、Word を使わなくても、Google ドキュメントを使って作ることができます。誰でも無料で使えるので、Office ソフトがインストールされていないパソコンでも困りません。Word で作成した文書を修正することも可能です。

見積書を作成する

1. Google ドライブで左上の「新規」ボタンをクリックし、「Google ドキュメント」をクリック。

2. 文書を作成したら、「無題のドキュメント」をクリックしてタイトルを入力。

3. 「ファイル」→「ダウンロード」をポイントして、「PDF ドキュメント」をクリックしてダウンロードする。

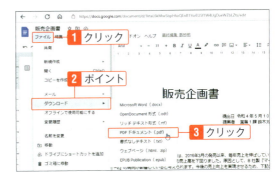

05-17 SECTION

Googleドキュメントで
PDFの文字認識を行う

画像データとして認識されるPDFからも文字を抜き出せる

Googleドライブでは、OCRが施されていないPDFファイルから文字を認識して抽出することができます。しかも、Googleドキュメントで開くだけなので、どのソフトよりも簡単にできます。正確に認識できなかった部分は手入力で修正してください。

PDFファイルのテキストを抽出する

1. Googleドライブにアップロードしたファイルをダブルクリックして開く。

> **ONE POINT　GoogleドライブのOCR機能**
>
> Googleドライブでは、PDFファイルをGoogleドキュメントに変換する際、画像データ上の文字を認識して抽出するOCRが施されます。これにより、テキストのみを抽出することが可能です。ただし、ファイルサイズが2MB以下のファイルに限ります。OCRについてはSECTION07-02で説明します。

2. 「Googleドキュメントで開く」をクリック。

3. 文字認識が行われ、ドキュメント形式に変換される。認識できなかった部分は修正する。

05-18

GoogleドライブのPDFを他の人と共有する

Googleのアカウントを持っていない相手にも見てもらえる

GoogleドライブのPDFを他の人に閲覧してもらったり、編集したりすることができます。ここでは、リンクを教えた人にPDFを閲覧してもらう方法を解説します。その際、閲覧のみにするか編集可能にするかを選択することができます。

PDFファイルを共有する

1 共有したいPDFファイルをクリックし、「共有」ボタンをクリック。

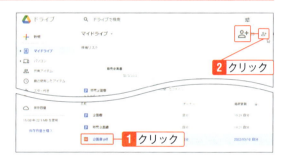

2 「リンクを知っている全員に変更」をクリック。

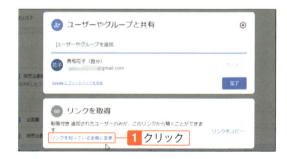

3 「▼」をクリック。

4. 閲覧だけにする場合は「閲覧者」、コメントを可能にするには「閲覧者（コメント可）」、編集可能にするには「編集者」にする。

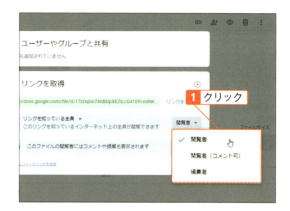

5. 「リンクをコピー」をクリック。リンクを教えれば見てもらえる。「完了」ボタンをクリック。

> ### リンクの共有を解除するには
>
> ここでの共有は、無関係の人にリンクが知られるとファイルを見られてしまいます。第三者への共有を止めたい場合は、共有したファイルをクリックし、「共有」ボタン 🔗 をクリックします。「変更」をクリックし、「リンクを知っている全員」をクリックして、「制限付き」を選択し、「完了」をクリックします。

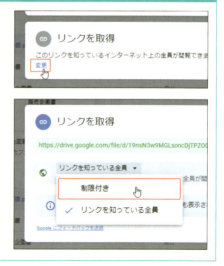

05-19 SECTION

GoogleドライブのPDFを特定の人だけに見せる

臨時で見せるならリンク、継続的な共有ならこの方法がおすすめ

SECTION05-18の共有は、リンクを知っている人ならだれでもファイルの閲覧が可能になるので、第三者に公開したくないファイルにはおすすめできません。そこで、特定の人だけを招待して共有する方法を紹介します。相手がGoogleアカウントを取得していれば、閲覧だけでなく編集することも可能です。

特定の人と共有する

1 共有したいPDFファイルをクリックし、「共有」ボタンをクリック。

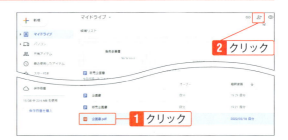

2 メールアドレスを入力し、表示されたらクリック。

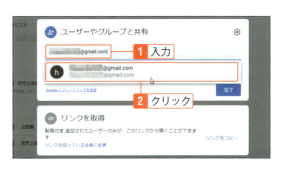

3 「▼」をクリックし、「閲覧者」「閲覧者（コメント可）」「編集者」から選択し、「送信」ボタンをクリック。

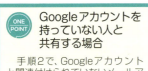

Googleアカウントを持っていない人と共有する場合

手順2で、Googleアカウントと関連付けられていないメールアドレスを入力した場合、「送信」をクリックした後にメッセージが表示されます。「このまま共有」をクリックすると、相手はログインせずにアクセスできます。

特定の人との共有を解除する

1 ファイルをクリックし、「共有」ボタンをクリック。

2 解除するユーザーの「▼」をクリックし、「削除」をクリック。

3 「保存」ボタンをクリック。

05-20 SECTION

PDFをDropboxに保存して他の人と共有する

パソコンのバックアップ用としても重宝される人気サービス

ここで紹介する「Dropbox」は、ファイルの保存だけでなく、パソコンと同期することもできるので、アカウントを取得しておくとPDFファイルの使い方が便利になります。無料で使える容量は2GBまでですが、知り合いに紹介すると容量を増やすことが可能です。ここでは、ファイルをアップロードする方法とファイルを共有する方法を説明します。

ファイルをアップロードする

1. Dropbox（https://www.dropbox.com/）にアクセスし、「ログイン」をクリック。

> **ONE POINT　Dropboxとは**
>
> Dropboxもクラウドサービスです。パソコンに保存されているファイルと同期（照らし合わせて同じ状態にすること）することもできるので、バックアップ用として使えます。タブレットやスマートフォンでの使用も可能です。最初に無料で使えるのは2GBですが、誰かを紹介するごとに500MB追加で、最大16GBまで使えます（2022年4月現在）。それ以上の容量が必要な場合は有料となります。Dropboxをまだ利用していない人は、手順1の画面で「登録」をクリックして手続きできます。

2. ログインする。GoogleアカウントやApple IDでも可能。

3. 「アップロード」をクリックし、「ファイル」をクリックしてPDFファイルをアップロードする。

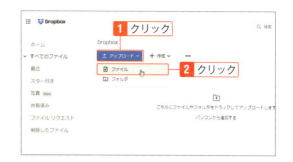

ファイルを共有する

1. 共有するファイルをポイントし、「共有」ボタンをクリック。

2. 「宛先」に送り先のメールアドレスを入力し、「ファイルを共有」をクリック。

リンクを教えるには

手順2の画面で「作成」をクリックし、「リンクをコピー」をクリックするとメールやLINEなどにリンクを貼り付けることができます。

3. 共有相手にメールが届くので「ファイルを表示」ボタンをクリックして開くことができる。

他ユーザーとの共有を解除する

1 ファイルをポイントしてから「共有」ボタンをクリック。

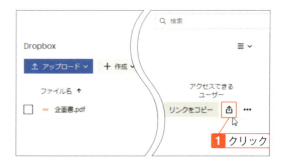

2 「アクセスできるユーザー」をクリック。

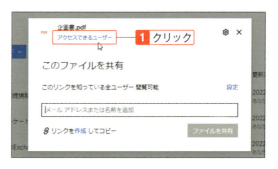

3 共有を解除するユーザーの▼をクリックし、「削除」をクリック。次の画面で「削除」ボタンをクリック。

ONE POINT 共有自体を解除するには

ファイルの共有を止めたい場合は、手順2の画面で、⚙ をクリックし、「ファイル共有を解除」をクリック、「共有を解除」をクリックします。

05-21 SECTION

DropboxやGoogleドライブをAcrobat Reader DCと連携させる

連携すればAcrobat Reader DCからDropbox内のPDFを閲覧、編集できる

Acrobat Reader DCは、DropboxやGoogle Driveなどのクラウドサービスを連携させることが可能です。連携させておけば、Dropboxを開かなくても、Acrobat Reader DC上ですぐに開けるようになります。なお、Wordや画像ファイルも表示されますが、開けるのはPDFファイルのみです。

Acrobat Reader DCとDropboxを連携させる

1. Acrobat Reader DCの「ホーム」タブで、「アカウントを追加」をクリックし、「Dropbox」の「追加」をクリック。

> **Acrobat Reader DCとGoogle Driveを連携させるには**
> ここでは、Dropboxを解説しますが、Google Driveも手順1で選択して同様に連携できます。

2. Dropboxにログインする。

3 「許可」をクリック。メッセージが表示されたらチェックを付けて「開く」ボタンをクリック。

4 Dropboxのファイルが表示される。PDFファイルをダブルクリックすると開ける。

Dropboxとの連携を解除する

1 「その他のストレージ」の「編集」ボタンをクリック。

2 「×」をクリックし、「削除」をクリック。

Chapter 06

スマホでもPDFを使おう

PDFはスマホにも対応していて、小さな画面でもレイアウトをくずさずに表示できます。閲覧だけでなく、文字や図形の書き込みもできるので、外出先で急ぎの編集が入っても大丈夫です。さらに、スマホがスキャナー代わりになり、手元にある資料やホワイトボードに書き込まれた文字、名刺など、なんでもPDFにすることができます。

スマホでPDFを開く

無料のAcrobat Readerアプリがある

Chapter02や03で解説したAcrobat Readerには、スマホのアプリもあります。ダウンロードも利用料も無料なので、インストールしておくことをおすすめします。iPhone用とAndroid用の両方がありますが、ここではiPhoneを使って説明します。

iPhoneのAcrobat Readerアプリで閲覧する

1 Adobe Acrobat Readerのアイコンをタップ。

2 「ログイン」をタップ。

 Acrobat Readerアプリを使うには

　Adobe Acrobat Readerは、iOSはApp Storeから、AndroidはPlayストアから無料でインストールできます。Adobe IDでログインしなくても使えますが、スキャンやクラウドへ保存をするにはログインが必要なので、本書ではログインした状態で解説します。まだAdobe IDを取得していない場合は、手順3の画面で「アカウントを作成」をタップして手続きできます。

3. Adobe IDのメールドレスを入力し、「続行」をタップ。

4. パスワードを入力し、「続行」をタップ。その後画面の指示に従って進む。

5. Acrobat Readerのホーム画面が表示される。

6. 下部の「ファイル」をタップし、ファイルをタップ。

7. ファイルが開く。左上の「＜」をタップすると保存場所の一覧が表示される。

Acrobat Readerアプリの画面構成(iPhoneでファイルを開いた状態)

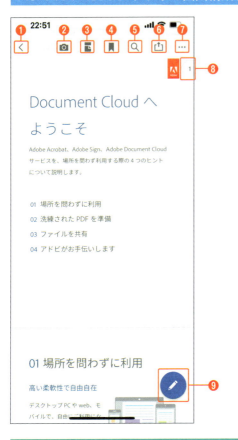

❶前の画面に戻る

❷Adobe Scanが起動しスキャンできる

❸連続、単一ページ、リーディングモード、ナイトモードを選択できる

❹しおりを使ってページを表示する(しおりが設定されている場合のみ表示される)

❺キーワードで検索する

❻ファイルを共有するときにタップする

❼PDFの書き出しや結合(有料プラン)、Document Cloudへの保存、印刷ができる

❽タップして指定したページを表示できる

❾注釈や署名を追加できる。有料でページのPDFの編集やファイルの結合も可能

 スマホでスター付きファイルにアクセスするには

SECTION02-17でPDFファイルにスターを付ける方法を解説しましたが、スマホのAcrobat Readerアプリで、パソコンと同じアドビアカウントにログインしていれば、ホーム画面(前ページ手順5)で「スター付き」をタップした画面から、すばやくアクセスできます。

06-02 SECTION

スマホのメールに添付されたPDFを開く

取引先に見せたい資料を忘れて外出してしまっても安心

外出先でPDFを添付したメールを送ってもらった時、会社に戻るまで待たなくても、スマホで確認できます。取引先に見せたい資料を、会社から送ってほしいといった時にも役立ちます。閲覧だけでなく、文字を書き込んだり、線を引いたりすることもできます。ここでは、Gmailアプリの画面で解説します。

添付ファイルを開く

1 メールに添付されたファイルをタップ。

2 PDFを閲覧できる。□をタップし、「Acrobat」をタップ。一覧にない場合は「その他」をタップして選択(Androidの場合はファイルをタップして「Adobe Acrobat」をタップ)。

3 Acrobat Readerアプリで閲覧できる。

> **ONE POINT メールにPDFファイルを添付するには**
>
> メールにPDFを添付する方法は、画像や他の文書ファイルと同様です。「添付ファイル」ボタンをタップして、ファイルを追加します。

06-03 SECTION

LINEでPDFを送る

ビジネスで使われることも多くなったLINEも活用

友だちとメッセージのやり取りができるLINEは、仕事で使われることもありますが、文字のやり取りだけでなく、ファイルを送信することもできます。PDFにも対応しているので、トーク画面から送信してみましょう。また、ONE POINTで裏技も紹介するので参考にしてください。

友だちにPDFを送信する

1 LINEのトーク画面を表示し、「＋」をタップ。

2 「ファイル」をタップ。

3 PDFがある場所を指定して（Acrobat Readerに送っていればAcrobatを選択する）、ファイルを選択する。その後「送信」をタップ。

> **LINEを利用してパソコンにPDFを取り込む**
>
> LINEは、パソコンでもアプリをインストールして使えます（https://line.me/ja/）。スマホでLINEの「KEEP」にPDFを追加し、パソコン版LINEでダウンロードすればパソコンに取り込むことができます。

06-04 SECTION

スマホで閲覧しているWebページをPDFにする

ブラウザからそのままPDFにできるので便利

スマホで見ているWebページをPDFにしたいとき、最新のスマホならブラウザの画面からPDFにすることができます。ここでは、iPhoneのiOS15.4を使い、ブラウザ「Safari」で解説します。Androidの場合はChromeを使うと簡単にPDFにできます。

iPhoneでWebページをPDFにする

1 ブラウザアプリ「Safari」でWebページを表示し、「共有」ボタンをタップ。

2 「オプション」をタップ。次の画面で「ＰＤＦ」をタップし、「完了」をタップ。

AndroidでWebページをPDFにするには

Androidの場合は、「Chrome」アプリで︙をタップし、「共有」をタップします。下部の一覧から「印刷」をタップし、上部にある「▼」をタップして「PDF形式で保存」をタップします。この方法は、Gmailアプリの画面でメールをPDFにするときにも使えます。

06-05
スマホで紙文書をPDFにする

スマホのカメラをスキャナーとして使い、PDFにできる

「外出先などで、紙の資料などをPDFにしたいけれど、スキャナーがない」といったとき、スマホさえあれば簡単に読み取ることができます。スマホでスキャンをするためのアプリは多数ありますが、ここでは「Adobe Scan」アプリを使って、手元にある紙文書をPDFにする方法を説明します。

Adobe Scanで読み取る

1 Acrobat Readerアプリのホーム画面で「＋」をタップ。文書を開いている場合は左上の「＜」をタップして前の画面に戻る。

2 「スキャン」(Androidの場合は「新しいスキャン」)をタップ。次の画面で「続行」をタップ。カメラへのアクセスのメッセージは「OK」、通知の送信は「許可」をタップ。

3 「ホワイトボード」「書籍」「文書」「名刺」から選択すると、読み取りが始まる、始まらない場合は「スキャン」ボタン（下部中央の「○」のボタン）をタップ。

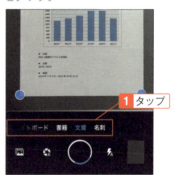

 Adobe Scanとは

アドビが提供しているスキャナアプリで、写真撮影と同じ感覚で紙文書やホワイトボードなどをPDFにできます。インストールされていない場合は、手順2の画面の後にメッセージが表示されるのでインストールしてください。また、スキャンする際にログイン画面が表示された場合は、Adobe ID（SECTION06-01参照）でログインします。なお、ここではAcroat Readerから起動しますが、インストール後はAdobe Scanアプリのアイコンから起動してかまいません。

4 読み取ったら、四隅にあるハンドルをドラッグして必要な部分を囲む。できたら「続行」（Androidの場合は「スキャンを続行」）をタップ。

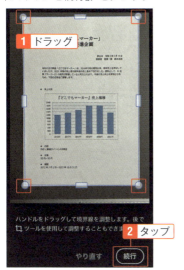

5 右下の縮小画像をタップ。

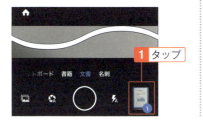

6 ファイル名を変更し、「PDFを保存」をタップ

7 テキスト認識も実行される。「Acrobatで開く」をタップするとAcrobat Readerに表示される。

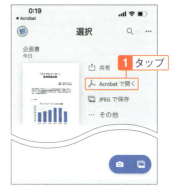

 汚れやしわが気になるときは

手順6の右下部にある「クリーンアップ」をタップして、汚れやしわの箇所をなぞると消すことができます。

06-06 SECTION

スマホでPDFに文字を入れたり、マーカーを引く

パソコン版のAcrobat Reader DCにある機能を使える

Acrobat Readerアプリでも、PDFに注釈などを書き込んだり、重要な部分にマーカーを引いたりできるので、外出先でも、会社のパソコンと同じような編集ができます。画面の大きいタブレットを使うと、スマホよりも快適に作業ができます。

注釈を入れる

1 PDFファイルを開き、 をタップ。

2 「注釈」をタップ。

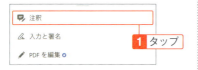

3 「T」をタップ。

> **ONE POINT 手書きの文字を入れるには**
> 手書きしたい場合は、手順3の画面で をタップし、ドラッグ操作で手書きします。

4. 文書内をタップし、文字を入力して「投稿」をタップ（Androidの場合は他の場所をタップ）。

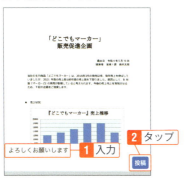

5. 名前を入力して「保存」をタップ。あるいは「スキップ」をタップ。

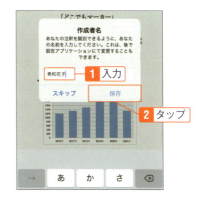

マーカーを引く

1. 「マーカー」をタップし、「色」ボタンをタップして色を選択。

2. 長押ししてからドラッグ。やりにくい場合はピンチアウトして拡大表示にする。終わったら「完了」（Androidの場合は ✓) をタップ。

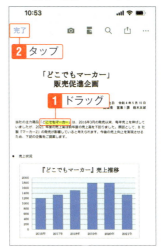

ONE POINT マーカーを削除するには

削除したいマーカーの上をタップし、「ゴミ箱」をタップすると削除できます。

06-07 SECTION

スマホでチェックマークを付ける

チェックを付けたい箇所をタップするだけで入力できる

「急ぎでアンケートや申請書を提出する必要があるが、すぐに会社に戻れない」ようなとき、スマホを使ってPDFに書き込むことができます。無料のAcrobat Readerアプリでチェックマークを付けることが可能です。細かい文書で見づらい場合は、拡大して操作しましょう。

チェックマークを付ける

1 をタップし、「入力と署名」をタップ。

2 ☑をタップし、チェックを付ける箇所をタップ。その後チェック以外の部分をタップ。

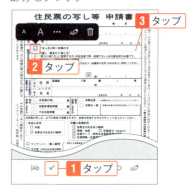

ONE POINT チェックマークを削除するには

入力したチェックマークを削除したい場合は、チェックマークをタップし、「ゴミ箱」ボタンをタップします。

06-08 SECTION

スマホで署名を入れる

スマホなら画面に手書きしてサインができる

スマホのAdobe Acrobatアプリでも、署名や手書きのサインを入れられます。手書きのサインは、一度作成しておけば、次回はタップするだけなので時間がかかりません。スマホやタブレットの方が、パソコンよりも自然な手書きがしやすいというメリットもあります。

署名を追加する

1 SECTION06-07の手順2の画面で、をタップし、「署名を作成」をタップ。すでに作成した署名がある場合は、選択肢が表示されるのでタップして入れられる。

2 「描画」になっていることを確認し、ドラッグしてサインを入れ、「完了」をタップ。

3 署名を入れたい箇所をタップすると入れられる。矢印をドラッグしてサイズを変更できる。

> **ONE POINT　印影の画像を入れるには**
>
> 印影の画像がある場合は、手順2の画面で「画像」をタップして追加できます。また「カメラ」をタップしてその場で撮影して入れることも可能です。

スマホのドキュメントアプリで文書を作成してPDFにする

スマホでPDFの文書を一から作成するときに活用しよう

Googleドキュメントは、Wordと同様の文書作成アプリです。作成した文書をPDFにすることができるので、スマホしかない環境でPDF文書を一から作成したいときに役立ちます。なお、Googleドキュメントを利用するにはGoogleアカウントが必要です。

ドキュメントアプリで作成した文書をPDFにする

1 「ドキュメント」アプリを開き、⊕→「新しいドキュメント」（Androidの場合は新規ドキュメント）をタップ。

2 ファイル名を入力して「作成」をタップ。

3 ⋯（Androidの場合は︙）をタップ。

ONE POINT　Googleドキュメントとは

GoogleドキュメントについてはSECTION05-16を参照してください。

4 「共有とエクスポート」をタップ。

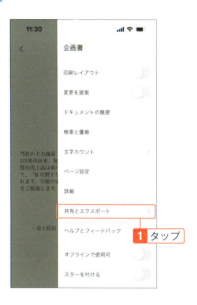

5 「コピーを送信」(Androidの場合は「名前を付けて保存」)をタップ。

6 「PDF」(Androidの場合は「PDFドキュメント」)をタップし、「OK」をタップ。

7 「ファイルに保存」をタップし、保存先に保存する。

06-10 SECTION

Dropboxと Acrobat Readerを連携する

Acrobat ReaderからDropbox内のPDFを閲覧、編集できる

SECTION05-20でDropboxを紹介しましたが、スマホの場合もAcrobat ReaderとDropboxを連携させればDropbox内のPDFをいつでもAcrobat Readerで編集できるようになります。ネットの回線が不安定な時にも見られるように、ONE POINTでスマホに取り込む方法を解説します。

Acrobat ReaderアプリにDropboxを連携させる

1 「ファイル」をタップ。「場所」一覧の「Dropbox」をタップ。

2 「許可」ボタンをタップ。

 DropboxアプリでPDFをスマホにダウンロードする

DropboxアプリからPDFをスマホに取り込みたい時には、⋯をタップし、「共有」をタップして「ファイルをエクスポート」をタップします。その後、「"ファイル"に保存」をタップします（Androidの場合は ⋮ をタップして「エクスポート」→「デバイスに保存」をタップ）。

3. 登録しているDropboxのアカウントでログインする。

4. Dropbox内のファイル一覧が表示される。左上の「＜場所」(Androidの場合は「←」)をタップ。

5. 「場所」一覧が表示される。次回は「Dropbox」をタップすればDropbox内のファイルを開けるようになる。

Dropboxとの連携を解除する

1. 「ファイル」の場所一覧の右上にある「編集」をタップ(Androidの場合は「Dropbox」をタップし、右上［┆］をタップして「Dropboxアカウントを管理」)。

2. 「－」をタップし、「削除」をタップ。

06-11 SECTION

スマホのWordアプリで
文書を作成してPDFにする

使い慣れたOfficeソフトのスマホ版なら作業しやすい

ビジネスでよく使われているMicrosoft Wordは、スマホのアプリもあり、一部の機能を無料で利用することができます。ここでは、Wordアプリで作成した文書をPDFにする方法を説明します。なお、すべての機能を使うにはMicrosoft 365サブスクリプションの権利が必要となります。

Wordアプリで作成した文書をPDFにする

1 Wordアプリを開き、「+」をタップし、「白紙の文書」をタップして文書を作成する。

2 …ボタン（Androidの場合は⋮を）タップし「印刷」をタップして「PDF形式で保存」をタップ。

 Wordアプリとは

Microsoft Wordにはスマホアプリもあります。無料のMicrosoftのアカウントでも使えますが、パソコン版のようにワードアートの挿入や、セクション区切りの追加などの機能を使うにはMicrosoft 365サブスクリプションが必要です。

Microsoftアカウントを持っていない場合は、左上のアカウントアイコンをタップし、「サインイン」をタップして表示された画面の「アカウントを作成しましょう」をタップして登録できます。

3 「エクスポート」をタップ。

4 「PDF」をタップ。

5 ファイル名を入力し、保存場所を選択。ここではOneDriveに保存。

6 「エクスポート」をタップするとPDFとして保存される。メッセージが表示された場合は「許可」をタップ。

06-12 SECTION

PDFをコンビニでプリントする

あらかじめプリントサービスのアプリをインストールしておく

外出先でPDFを印刷したいとき、プリンターがなくて困った経験がある人もいるかもしれません。そんなときは、コンビニのプリントサービスを使えば印刷できます。ほとんどのコンビニでサービスを行っていますが、ここでは、セブンイレブンで印刷する方法を説明します。

netprintを使って印刷する

1 かんたんnetprintアプリをダウンロードする。

2 Acrobat Readerアプリで、印刷したいPDFファイルを開き、□（Androidの場合は□）をタップ。

> **ONE POINT** netprintとは
>
> netprintは、セブンイレブンのマルチコピー機を使って印刷できるサービスです。セブンイレブンのマルチコピー機に予約番号を入力すると、登録したファイルを印刷できます。ユーザー登録が必要の「netprint」アプリと、ユーザー登録不要の「かんたんnetpirint」アプリがあり、「netprint」アプリはファイルの保存期間が7日、「かんたんnetprint」アプリは1日となっています。ここでは「かんたんnetprint」アプリの画面で解説します。

3 「コピーを送信」をタップ。

4 「netpirnt」をタップ。一覧にない場合は「その他」をタップして選択する。

5 用紙サイズやカラーモードなどを選択し、「登録」をタップ。メッセージが表示されたら「閉じる」をタップ。

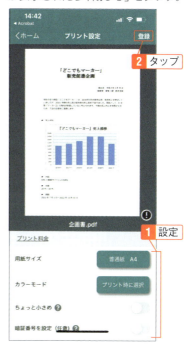

6 予約番号が表示される。セブンイレブンのマルチコピー機で予約番号を入力すると印刷できる。

ONE POINT 白黒印刷にするには

白黒で印刷したいときには、手順5で「カラーモード」ボタンをタップして「白黒」を選択します。あるいは、プリント時に選択することも可能です。

06-13 SECTION

Acrobat Readerアプリを有料で使う

細かい編集や、分割 / 統合などを行うには有料プランを使う

スマホのAcrobat Readerアプリには、細かな編集機能はありません。PDFをWordに変換したい場合や複数のPDFを結合したいといった場合は、有料プランを使用することになります。ここでは、アドビの有料サービスの紹介と、その機能の一部を紹介します。

Acrobat Readerのサブスクリプション

　Acrobat Readerアプリは無料で使えますが、PDFへの変換や複数ファイルの結合を使いたい場合は有料プランを使用します。Chapter09でAdobe Acrobat Proを申し込んだ場合は、そのアカウントでモバイルの機能も使えますが、モバイル端末で「WordやExcelへの変換」「複数PDFの結合」などが目的なら「モバイル向けプレミアムツール」を使うと費用を抑えることができます。モバイル向けプレミアツールに申し込むには、右上のアカウントアイコンをタップし、「今すぐ購入」をタップします。

▲右上のアカウントアイコンをタップして申し込める

▲モバイル向けプレミアムツールでできること

PDFをWordに変換する

1 PDFファイルを開き、右上の□(Androidの場合は□)をタップし、「PDFを書き出し」をタップ。

2 「Microsoft Word」をタップし、「書き出し」をタップ。

3 作成されたファイルはDocument Cloudに保存される。「<」(Androidの場合は「←」)をタップ。

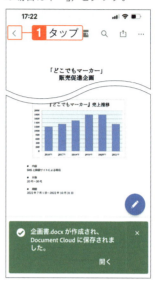

4 「ホーム」タブに作成されたファイルが表示される。

06 スマホでPDFを使おう

ファイルを結合する

1 「ホーム」で◎をタップ

2 「ファイルを結合」をタップ。

3 ファイルの保存場所をタップ。

4 結合するファイルにチェックを付け、「次へ」をタップ。

5 「ファイル名」をタップして結合後のファイル名を変更し、「結合」をタップ。

6 Document Cloudに保存される。

Chapter 07

スキャナーを使って PDFを活用しよう

書類や写真、本などを電子化するには、スキャナーを使ってPDFにします。最近では、スマホでもスキャンできますが、大量のページを1枚1枚読み取るには手間がかかりますし、綺麗に読み取れないこともあるので、やはりスキャナーを活用した方が効率よく電子化することができます。このChapterでは、さまざまなスキャナーを紹介しながら、どのようなことができるかを解説します。

07-01 SECTION

スキャナーのタイプと特徴

タイプが豊富なScanSnapシリーズが代表的

書類や本を電子化する手段としてスキャナーが使われています。ですが、どのようなものを読み取るかによってスキャナーの種類が異なるので、用途に合ったものを選ぶ必要があります。ここではタイプ別にスキャナーを紹介するので、どのような種類があるのか確認しておきましょう。

代表的なスキャナー

●ドキュメントスキャナー　ScanSnap iX1600（PFU）

自動的に紙を送りながら読み取るスキャナーで、何十枚もの紙を高速で読み取ることができます。大量の書類や裁断した本の読み取りに適しています。資料の切り抜きのような非定型の原稿を読み取る際は別売りのキャリアシートに挟んで利用します。

●フラットベッドスキャナー　CanoScan LiDE 400（Canon）

ガラス台の上に原稿を置き、下から光を当てて読み取るスキャナーです。ドキュメントスキャナーと比べると、1枚ずつセットする必要があるので枚数が多い場合は多少時間がかかりますが、薄型で軽量です。

 スキャンする際には著作権の侵害に注意する

私的使用を目的とする以外で、著作権が発生する媒体を権利者の許可なく複製することは法律で禁じられています。スキャンして他人に譲渡したり、ホームページやSNSにアップしたりする行為は違法となるので、気を付けてください。著作権情報センターのサイト（http://www.cric.or.jp/）などを参考にし、スキャンする媒体の著作権について確認しておきましょう。

▲著作権情報センターのホームページ

●モバイルスキャナー　ScanSnap iX100（PFU）

軽くて持ち運びに便利なスキャナーです。置き場所に困ることがなく、バッグに入れて必要な時に取り出して使うことができます。1枚ずつ手作業で読み取る必要があるため、枚数が多い場合は多少手間がかかります。

●オーバーヘッドスキャナー　ScanSnap SV600（PFU）

写真を撮るように、対象物の上方から読み取ります。ページをめくる手間が要りますが、書籍を裁断せずに読み取ることができ、クレヨンや絵の具で描かれた絵も読み取り機構を汚さずにスキャンできます。分厚い本の場合は、歪みが生じることがあるので、付属のソフトで調整できる機種がおすすめです。

●複合機　PIXUS TS8530(Canon)

1台で印刷、コピー、スキャンの機能を使える万能機器です。スキャンするときは、コピーと同様に1枚1枚セットして読み取ります。モバイルスキャナーと比べると機能が多い分、サイズは大きめですが、印刷機能と兼用して使えるので便利です。付属のソフトでスキャンした画像から文字列を抜き取ることが可能です。

透明テキストとは

文字が「画像」として認識されるときの処理「OCR」

スキャンして紙文書をPDFファイルにした場合、文字選択ができないことがあります。これは、スキャンしたときにOCRという処理がされず、画像のままになっているからです。画像の中に文字が入っているので、当然選択することができません。この点は、Wordなどのファイルとは異なるので、どのような仕組みになっているかここで説明します。

文字の検索やコピーに必須の「透明テキスト」

　紙の書類をスキャナーで読み取ると、写真と同じように画像として保存されます。当然、画像のままだと、単語を検索しようとしても抽出できず、文字をコピーしようとしても選択すらできません。そこで、画像上の文字を解析し、文字データに変換する「OCR（光学文字認識）」という処理をします。

　そうすることで、画像データに目に見えない文字データが付加されます。この目に見えない文字データが透明テキストです。透明テキストによって、文字の検索やコピーができるようになるのです。

　スキャンしたデータにOCR処理をするにはソフトが必要ですが、ほとんどのスキャナーにはOCR機能付きのソフトが付属しています。

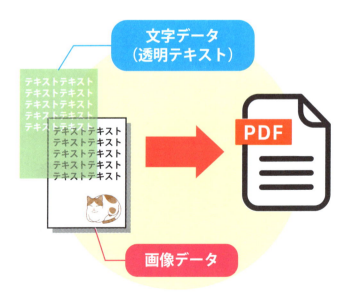

▲OCR処理をすると、画像データに透明テキストが付加される

スキャナーで紙の資料をPDFにする

ペーパーレス化で場所を取らず、大量の資料を保管できる

捨てたくない資料やパンフレットが増えてくると、保管場所に困ります。また、目的の資料をパッと探しづらくなります。そのようなときは、スキャナーで読み取ってパソコンに保存しましょう。半永久的に保管することができ、特定の資料を見たくなってもすぐに探せます。

資料をスキャンする

 スキャナーの電源を入れ、パソコンと接続する。資料をスキャナーにセットする。

> **ONE POINT 使用しているスキャナー**
>
> ここではPFUのScanSnap iX1600で読み取ります。スキャナーの機種によって、読み取り用のソフトが異なります。

2 パソコンにインストールした「ScanSnap Home」のスキャン画面で「Scan」をクリックするか、スキャナー本体の画面で「Scan」ボタンを押すと読み取りが始まる。文字認識をする場合は設定が必要（SECTION07-09参照）。

1 クリック

3 読み取りが終わると、パソコンに保存される。スキャナーに付属のビューアーソフトやAcrobat Reader DCで表示を確認する。

07-04 SECTION

複合機でスキャンする

あまり頻度が高くなければ、プリンターの複合機でも十分

プリンターに複合機を使っている人は、スキャン機能が付いているはずです。コピーするのと同様に紙の書類をPDFにできます。1枚1枚セットするのは面倒ですが、枚数が少なければ、わざわざスキャナーを購入しなくても十分です。ここでは例としてEPSONの複合機を使って解説します。

複合機でスキャンする

1. 複合機に原稿をセットする。

2. 複合機本体画面の「スキャン」ボタンを押すか、メーカー指定のソフトの「スキャン」をクリック。

3. 「次へ」をクリックしてPDF形式で保存する。

ONE POINT 複合機でのスキャン

通常はPDFファイルか画像ファイルかを選択でき、保存先の変更も可能です。使用する複合機の説明書で確認してください。

07-05 SECTION

モバイルスキャナーで読み取る

大きめの資料などで、スマホではスキャンしづらいときに便利

喫茶店やファミレスでの打ち合わせで、こんなときにコピー機があれば・・・ということもあります。モバイルスキャナーをバッグに入れておけば、いつでも書類をスキャンして持ち帰ることができます。最近は、営業などの仕事をしている人達の間で、かなり一般的になってきています。

モバイルスキャナーでスキャンする

1. 電源を入れて原稿台を開ける。モバイルスキャナーに原稿をセットし、「Scan」ボタンを押すと読み取りが始まる。

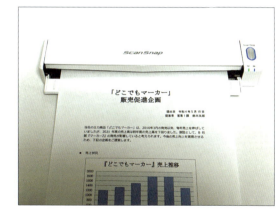

2. 読み取ることができた。

07-06
SECTION

写真をPDFにする

整理するだけでなく、紙が劣化する前の状態を保存できる

最近の写真はデジタルなので保管場所に困るケースは少ないですが、古いプリント写真がたまって保管に困っている場合は、スキャナーで読み取って整理しましょう。紙の写真をデジタル化すれば、用紙が黄ばんだり、破れたりするのを防ぐことができます。

写真をスキャンする

1. スキャナーに写真をセットする。

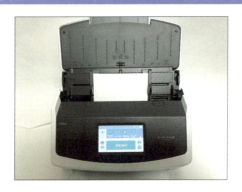

2. パソコンに表示されている「ScanSnap Home」のスキャン画面で、■をクリックして「片面」にする。「Scan」をクリックすると読み取りが始まる。またはスキャナー本体の画面で「ScanSnap Home」にして「Scan」を押す。

 写真をPDFで保存するように設定する

ScanSnapの場合、写真をそのままスキャンするとJPEG形式で保存されます。PDFにするには、「ScanSnap Home」のスキャン画面にある■をクリックし、「写真」タブの「詳細設定」をクリックして、「PDF」に変更してください。

領収書やレシートをPDFにする

複数枚をまとめて一つのPDFにできる点も便利

レシートや領収書は日々増え続けます。うっかりどこかにやってしまって見つからなくなることも多いですが、PDFで保存しておけば、数が多くてもかさばることがなく、見つけるのも容易です。日付や店名も読み取るので、後で探すときに便利です。

レシートをスキャンする

1. スキャナーにレシートをセットする。

2. パソコンに表示されている「ScanSnap Home」のスキャン画面で、「レシートを管理」をクリックし、「Scan」ボタンをクリックするか、スキャナー本体の画面で「Scan」ボタンを押すと読み取りが始まる。

3. レシートを読み取った。レシート日付や店名などが表示される。

07-08 SECTION

紙の領収書をスキャンして クラウドに保存する

経費の領収書も電子化して一括管理

経費の領収書も、紙のまま保管すると場所を取るので電子化して保管しましょう。その際、電子帳簿保存法に基づいて保存する必要があります。ここでは、紙で受け取った領収書をスキャナーで読み取った後の保存について解説します。

ScanSnapアカウントにログインする

 ScanSnap Homeのメイン画面で、「設定」→「環境設定」をクリック。

ONE POINT スキャンと同時にクラウドに保存するには

Wi-Fi搭載ScanSnapの場合、ScanSnap Cloudを通して、クラウドに直接送ることが可能です（パソコンと同じアクセスポイントでWi-Fi接続する）。さまざまなクラウドと連携できますが、ここでは「freee会計」を例に解説しています。なお、クラウドに保存するには、ScanSnapアカウントが必要です。まだ取得していない場合は、「アカウント未登録の場合はこちら」の「こちら」をクリックして登録してください。

 「アカウント」をクリックし、ScanSnapアカウントにサインインする。

ONE POINT クラウドサービスの設定ができない

クラウドサービスを使用するには、設定画面で「ScanSnap Cloud」がオンでないと使えません。手順2でメッセージが表示されたら、「はい」をクリックするとアカウント設定画面が表示されるので、「利用規約」と「プライバシーポリシー」を開いて一読し、「同意する」をクリックしてください。

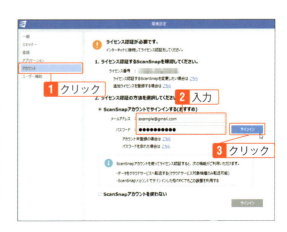

「OK」ボタンをクリック。

領収書をスキャンしてクラウドに保存する

1. ScanSnap Homeのスキャン画面で、をクリック。

> **ONE POINT 電子帳簿保存法とは**
>
> 電子帳簿保存法は、平成10年に施行された「電子計算機を使用して作成する国税関係帳簿書類の保存方法等の特例に関する法律」の略で、国税関係帳簿書類を電子データで保存するためのルールなどが定められた法律です。経理上の領収書も国税関係帳簿書類なので、法律に基づいて保存する必要があります。

2. 「クラウドに送る」をクリックし、「レシート」タブをクリックし、「サービス名」の「選択」をクリック。

> **ONE POINT 経費の領収書やレシートの保存方法**
>
> 電子帳簿保存法の改正により、令和4年1月からは、税務署長の事前承認が不要になり、検索要件が「取引年月日」「取引金額」「取引先」の3項目になりました。スキャナー保存については、自署が不要になり、最長約2か月と7営業日以内にタイムスタンプを付与してデータ保存をすれば原本を破棄できます。さらに、訂正または削除記録が残るシステムを使う場合はタイムスタンプも不要です。なお、これは2022年5月現在の情報です。今後も法律が改正されることがあるので、その都度確認してください。

3 使用するクラウドを選択し、「選択する」をクリック。その後、クラウドのアカウントでログインする。ここでは「freee会計」を選択。

4 freeeアカウントにログインする。事前にfreeeアカウントを取得しておくか、Googleアカウントでログインも可能。連携のメッセージが表示されたら「許可する」をクリック。

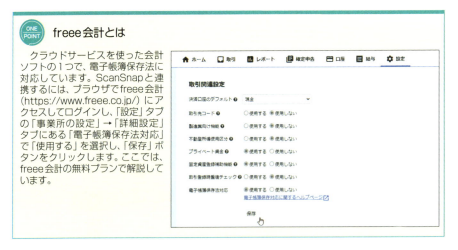

freee会計とは

クラウドサービスを使った会計ソフトの1つで、電子帳簿保存法に対応しています。ScanSnapと連携するには、ブラウザでfreee会計（https://www.freee.co.jp/）にアクセスしてログインし、「設定」タブの「事業所の設定」→「詳細設定」タブにある「電子帳簿保存法対応」で「使用する」を選択し、「保存」ボタンをクリックします。ここでは、freee会計の無料プランで解説しています。

5 「いいえ」をクリック。名刺や写真なども同じクラウドに保存する場合は「はい」をクリックする。

6 クラウドが設定されたことを確認し、「保存」をクリック。

> **領収書をメールで受け取った場合**
>
> メールなどで送られてきた領収書は、電子取引となり、わざわざ紙に印刷してスキャンする必要はありません。

7 スキャナーの「Scan」ボタンを押して読み取る。をクリックするとクラウドに取り込まれた領収書が表示される。

8 クラウドにアクセスすると（freee会計の場合、「取引」タブの「ファイルボックス」）、領収証があるのでクリック。

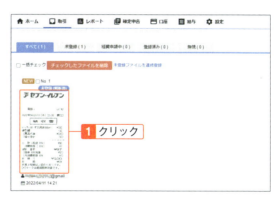

9 内容が正しいことを確認し、「登録する」をクリック。

07-09 SECTION

新聞の切り抜きや非定型サイズの原稿をPDFにする

キャリアシートを使って読み取る

新聞の切り抜きや非定型サイズの原稿をPDFにしたいときには、別売りのキャリアシートという透明のシートに挟んでスキャンすると、曲がったり折れたりせずに読み取ることができます。スキャンする前にキャリアシート用の設定をしてから読み取ります。

新聞記事の一部をスキャンする

1. キャリアシートにはさんでスキャナーにセットする。

2. パソコンに表示されている「ScanSnap Home」のスキャン画面で、「ScanSnap Home」をクリックし、をクリック。

 キャリアシート

新聞の切り抜きや大事な写真などは、別売りで購入できるキャリアシートを使うと、折れたり破れたりすることなくスキャンできます。

3 「フィード」の「オプション」をクリック。

1 クリック

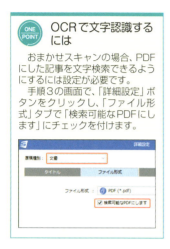

ONE POINT　OCRで文字認識するには

おまかせスキャンの場合、PDFにした記事を文字検索できるようにするには設定が必要です。
手順3の画面で、「詳細設定」ボタンをクリックし、「ファイル形式」タブで「検索可能なPDFにします」にチェックを付けます。

4 「キャリアシート設定」をクリック。

1 クリック

5 「イメージの保存方法」で「表裏のイメージをそれぞれ保存します」を選択して「OK」ボタンをクリック。「フィードオプション」画面が表示されるので「OK」ボタンをクリック。

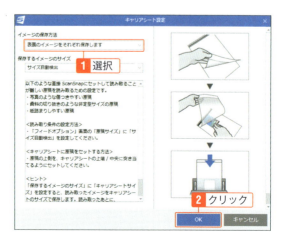

1 選択

2 クリック

07 スキャナーを使ってPDFを活用しよう

181

6 「プロパティの編集」ダイアログで「読み取り面」を「片面」にして「保存」ボタンをクリック。

7 「ScanSnap Home」のスキャン画面で「Scan」をクリックするか、スキャナー本体の画面で「Scan」ボタンを押す。

8 新聞の切り抜きをPDFにした。

07-10 SECTION

本や雑誌をPDFにする

本などを裁断してデジタル化する

捨てたくないが、置いておくとかさばる本や雑誌は、思い切って裁断し、ドキュメントスキャナーで読み取りましょう。PDF化して電子書籍のようにすることで、場所を取らずいつでも持ち歩けます。ただし、本や雑誌にはそれぞれ著作権がありますので、侵害しないように注意してください。

裁断した書籍をスキャンする

1 書籍を裁断し、先頭ページを一番下にして、スキャナーにセットする。

ONE POINT 書籍をPDFにするときの注意

書籍や雑誌を裁断し、スキャナーで読み取ってデジタル化することを「自炊」と呼んでいます。自炊を代行するサービスもありますが、複製権を侵害する行為として、出版社や著作者が拒否している場合もあるので、説明を読んでから利用してください。

2 「ScanSnap Home」のスキャン画面で継続スキャンにする。をクリックして「両面」にし、「Scan」をクリック。あるいはスキャナー本体の画面で「継続スキャン」にして「Scan」ボタンを押す。

ONE POINT 複数回に分けて読み取る

ページ数が多い本は、一度では読み取れません。継続して読み取れるスキャナーを使っている場合は、設定を変更しましょう。例えば、PFUのScanSnap iX1600の場合、をクリックして、「継続スキャン」をクリックします。1セットが終わった時点で画面が表示されるので、「Scan」ボタンをクリックします。また、をクリックして「両面」を選択します。

07-11 SECTION

PDF化した本を読む

Kindleでは、自作のPDFファイルも閲覧できる

SECTION07-10のように、本をPDFにしたら、書籍に適したリーダーを使うと読みやすいです。ここではKindleのパソコン用ソフトを使って、本を読む方法を紹介します。Kindleに入れておけば、スマホやタブレットでも、Kindleアプリを使って閲覧が可能になります。

KindleでPDFの本を読む

1. Kindleアプリを起動し、「ファイル」メニューの「PDFをインポート」をクリック。

2. 表示する本をクリックして「開く」ボタンをクリック。

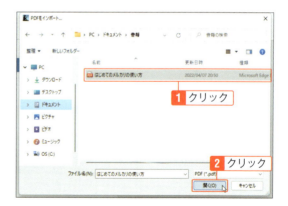

 Kindleとは

Kindleはアマゾンの電子書籍リーダーまたはサービスのことです。電子書籍だけでなく、PDFを追加して閲覧することができます。Kindleの端末でなくても、パソコン、スマホ、タブレットにアプリをインストールして読むことも可能です。利用するには、https://www.amazon.co.jp/kindle-dbs/fd/kcp／からソフトをダウンロードし、Amazonのアカウントでログインします。

3 「PDF」をクリック。追加したPDFの一覧が表示される。ダブルクリックして開くことができる。

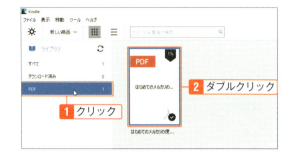

4 ▶をクリックすると次のページを表示できる。もしくは、マウスのスクロールボタンを使う。「ライブラリ」をクリックして戻る。

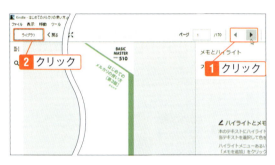

しおりを追加する

1 しおりを付けるページを表示し、「このページをブックマークに追加」ボタンをクリック。

2 ブックマークに追加された。クリックするといつでもそのページを表示できる。

> **ONE POINT　追加したPDFを削除するには**
>
> ライブラリの「PDF」をクリックしてから、削除したいPDFを右クリックし、「本を削除」をクリックして「はい」ボタンをクリックすると削除できます。

スキャナーを使ってPDFを活用しよう

スマホのKindleアプリでPDFを読むには

　スマホでPDFを読みたい場合、iPhoneの場合はApp Store、Androidの場合はPlayストアからKindleアプリをダウンロードします（無料）。ダウンロードしたら、Amazonのアカウントでログインしてください。
　次に、パソコンでアマゾンのサイト（https://www.amazon.co.jp/）にアクセスし、右上の「アカウント＆リスト」をポイントして「コンテンツと端末の管理」をクリックします。
　「設定」タブで、「パーソナル・ドキュメント設定」をクリックし、「Send-to-Kindle Eメールアドレスの設定」にあるメールアドレス宛にPDFを送信します。しばらくすると、スマホのKindleアプリに表示されます。その際、下にある「承認済みEメールアドレス一覧」にあるアドレスから送信してください。その他のアドレスからは送信できません。「承認済みEメールアドレスを追加」をクリックして別のアドレスを追加することも可能です。
　なお、容量の大きいPDFファイルの場合は、Dropboxなどのクラウドに送信し、スマホのDropboxアプリでKindleにエクスポートするなどで対応してください。

▲iPhoneのKindleアプリ

▲「Eメール」に記載されているアドレスに送信する

▲「パーソナル・ドキュメント設定」画面での承認済みEメールアドレスからしか送れない。（追加可能）。

Chapter 08

仕事でPDFを活用しよう

このChapterでは、ビジネスで使われているPDFの活用例を紹介します。WordやExcelの文書をPDFにしたり、PDF文書をWordで編集したりなど、よく使われている操作も確認しておきましょう。また、PDFの売上表をExcelに貼り付ける方法やWordでしおり付きのPDFを作成する方法など、意外と知られていない使い方もあるので紹介します。

08-01 SECTION

Wordで作成した報告書をPDFにする

PDFを作成する方法としては、最も一般的

Wordで作成した文書をPDFとして保存できることは、広く知られています。専用のソフトを必要としないので、PDFを一から作成する方法としては、最も一般的ですが、ここで再確認しておきましょう。

Word文書をPDFにする

1. Wordで文書を作成し、「ファイル」タブをクリック。

2. 「名前を付けて保存」をクリック。

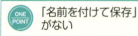

> **ONE POINT　「名前を付けて保存」がない**
> OneDriveを使って自動保存にしている場合は「名前を付けて保存」ではなく「コピーを保存」になります。

3. 「参照」をクリック。

> **ONE POINT　エクスポートでPDFにする**
> 手順2の画面で、「エクスポート」をクリックした画面からもPDFにできます。

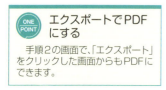

「名前を付けて保存」ダイアログが表示されるので、ファイルの保存場所を指定する。ファイル名を入力し、「ファイルの種類」をクリックして「PDF」を選択する。

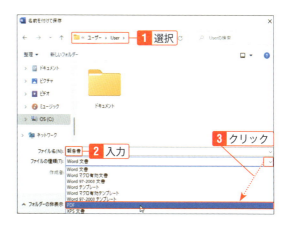

> **ONE POINT** PowerPointもPDFにできる
>
> 本書では、WordとExcelをPDFにする方法を説明しますが、同様にPowerPointも、「名前を付けて保存」ダイアログでファイルの種類を「PDF」にするだけです。

 「発行後にファイルを開く」にチェックを付けると保存後にPDFを開ける。「保存」ボタンをクリック。

> **ONE POINT** パスワードを設定するには
>
> 手順5の画面で、「オプション」ボタンをクリックし、「ドキュメントをパスワードで暗号化する」にチェックを付け、表示された画面でパスワードを設定することが可能です。なお、WordのみでExcelやPowerPointではパスワード付きのPDF保存はできません。

6 PDFとして保存される。

08-02

Excelで作成した表やグラフをPDFにする

売上実績表や請求書などで、特によく使う

Excelの文書をPDFにするケースもよくあります。操作は、Wordと同様です。ただし、元のExcelファイルにコメントを入れている場合、PDFには表示されません。また、他のシートと連動した作りになっていても、連動は解除されるので、連動元のシートを変更しても、反映されません。

ExcelファイルをPDFにする

1. Excelで文書を作成し、「ファイル」タブの「名前を付けて保存」をクリック。

2. 「参照」をクリック。

3. ファイルの保存場所を指定し、ファイル名を入力。「ファイルの種類」を「PDF」にして「保存」ボタンをクリック。

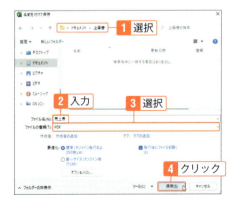

08-03

WordでPDFの文字を編集する

WordからPDFを開けば、文字を修正できる

Word 2013以降であれば、ファイルを開く画面からPDFファイルを選択して開くことができます。Wordに変換すれば、元の文章を修正することもできます。ただし、文字認識がされていないPDFは画像として貼り付けられるので、文字の修正はできません。

WordでPDFファイルを開く

1 Wordを起動し、「開く」をクリックして「参照」をクリック。

2 PDFファイルを選択して「開く」ボタンをクリック。メッセージが表示された場合は「OK」ボタンをクリック。

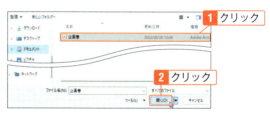

3 PDFをWordで開いた。文字を修正できる。

ONE POINT 文字の位置がずれて表示される

WordでPDFファイルを開けますが、必ずしも正確に表示されるわけでなく、レイアウトが崩れたり、フォントが変わったりする場合があります。ですが、WordからPDFに変換したファイルは正確に表示できるので、文字の修正などがあったときに便利です。

08-04 SECTION

PDFの資料にある写真を
Word文書に貼り付ける

多少画質が落ちるが、Wordへ貼り付け後保存もできる

たとえば、商品カタログの写真を使って、商品のチラシをWordで作成したいといったとき、PDFのカタログでも簡単に写真をコピーできます。一見、文字と一体化しているように見えても写真などの画像を選択できることもあるので試してみてください。

画像をコピーする

1 Acrobat Reader DCでPDFを開き、写真をクリックして、フローティングツールバーの「画像をコピー」をクリック。

2 Wordの「ホーム」タブの「貼り付け」をクリックすると写真を貼り付けられる。

 写真をコピーできない

SECTION07-02で説明したように、OCRが施されていないファイルは、写真だけをコピーすることができません。その場合は、SECTION03-11の方法で、写真の部分をスナップショットで貼り付けます。

08-05

PDFの売上表をExcelに貼り付ける

Wordを併用することで、ほぼそのままExcelに再現できる

「PDFに載っている売上表をExcelに取り込む」といったことも可能です。Wordと併用することで、色や線の種類をそのまま再現できます。なお、PDFの表をそのままExcelにコピーすると書式が消えてしまうので、書式を残したい場合は、ここでのようにWordを使ってください。

表をコピーする

1. WordでPDFファイルを開く（SECTION08-03参照）。表の左上にある田をクリック。

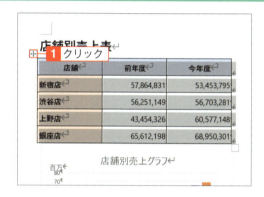

2. 「コピー」ボタンをクリック。

3. Excelのファイルを開き、貼り付ける位置のセルをクリックし、「ホーム」タブの「貼り付け」をクリック。

08-06 SECTION

Wordでしおり付きのPDFを作成する

Acrobatなどの編集ソフトがなくてもしおりを付けられる

WordのファイルをPDFにする際、「見出し」の機能を使えば、PDFのしおりとして使うことができます。SECTION04-16のように、しおりは後からでも作成できますが、配布資料などはしおりがないと読む人が困るので、忘れないためにも、作成する段階で設定しておきましょう。

Wordで見出しを設定する

1 しおりにする文字をドラッグし、「ホーム」タブの「スタイル」グループの「見出し1」をクリック。同様に他の部分にも見出しを設定する。

複数箇所に見出しを設定するには

Wordでは、キーボードの[F4]キーを押すと直前の操作を繰り返すことができます。1つ目の見出しを設定した直後に、次の文字をドラッグし、キーボードの[F4]キーを押すと同じ見出しを設定できます。

2 「ファイル」タブをクリックし、「名前を付けて保存」(OneDriveに自動保存している場合は「コピーを保存」)をクリックし、「参照」をクリック。

3 保存場所を指定し、ファイル名を入力。ファイルの種類で「PDF」を選択。

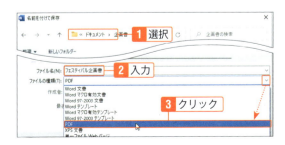

4 「オプション」ボタンをクリック。

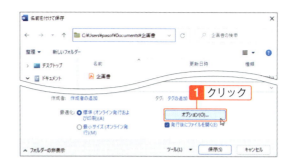

5 「次を使用してブックマークを作成」にチェックを付けて、「見出し」をクリックして「OK」ボタンをクリック。元の画面に戻ったら「保存」ボタンをクリック。

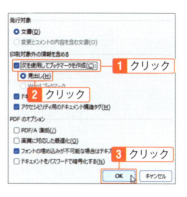

6 しおり付きのPDFを作成した。

> 見出しの書式を変更したい
>
> 見出しの文字サイズを変更したいときは、Wordで見出し1のフォントサイズを変更した後（見出し2を設定した場合は見出し2の書式を変更する）、見出しの部分をクリックし、「ホーム」タブの「スタイル」グループの右下にある をクリックします。「スタイル」作業ウィンドウが表示されたら、見出し1をポイントして▼をクリックし、「選択個所と一致するように見出し1を更新する」をクリックします。
>
>

08-07

Acrobat Reader DC と PDF を使ってプレゼンをする

PowerPointのスライドショーに近いことができる

一般的にプレゼンテーションでは、PowerPointなどのプレゼンテーションソフトで資料を作成し、スライドショーの機能で発表しますが、短時間の簡単なプレゼンなら、PDFでも十分対応できます。ここでは、PDFでのプレゼンテーション画面の出し方を説明します。

フルスクリーンモードにする

1 Acrobat Reader DCでPDFを開き、「編集」メニューの「環境設定」をクリック。

2 「フルスクリーンモード」をクリックし、「デフォルトの効果」を選択。ここでは「ズームイン」を選択。

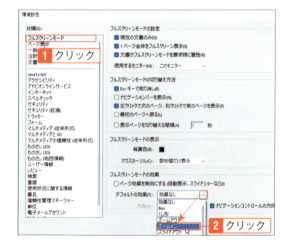

ONE POINT フルスクリーンモードの効果とは
ページをめくるときに左からスライドさせたり、フェードインさせたりなどの効果のことです。

3 「方向」の「V」をクリックし、「右へ」を選択して「OK」をクリック。

4 「表示」メニューの「フルスクリーンモード」をクリック。

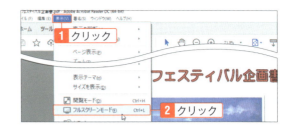

5 画面いっぱいに表示される。マウスをクリックすると次のページに移動する。右クリックすると前のページに戻る。

> **ONE POINT キーボードを使ってページを切り替える**
> キーボードの [→] キーと [←] キーでページを切り替えることもできます。

6 [Ctrl] キーを押しながらマウスのホイールを上方向へ転がすと拡大して表示できる。

7 キーボードの [Esc] キーを押すとスクリーンモードが終了する。

08-08 SECTION

会議でのホワイトボードの書き込みをPDFにする

議事録と一緒に参加者に送れば、より分かりやすい

会議などで「ホワイトボードの内容を書き留める時間がない」といったときに、スマホをスキャナー代わりに使えます。Adobe Scanにはホワイトボード向けの撮影画面があり、文字をはっきりさせたり、まっすぐにしたりなど自動調整してくれます。

スマホでスキャンする

1 スマホのAdobe Scanアプリを開き、のアイコンをタップ。

2 「ホワイトボード」をタップ。被写体にカメラを合わせると自動的に読み取れる。

ONE POINT　Acrobat Reader DCからAdobe Scanを起動するには

Adobe Scanの使い方はSECTION06-05で説明しています。Acrobat Reader DCから開く場合に参考にしてください。

3 四隅のハンドルをドラッグして必要な部分のみを囲む。「続行」をタップ。

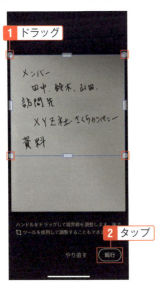

4 右下の縮小画像をタップ。

5 「PDFを保存」をタップ

6 ホワイトボードの文字をPDFにできた。

仕事でもらった名刺をPDFにする

1件ずつパソコンの連絡先などに入力するよりずっと楽

名刺も大量にたまってくると保管場所に困ります。また、名前順で整理するのも大変です。スキャナーで読み取って保存すれば、検索機能でいつでも取り出すことができ、時間短縮にもなります。スキャナー「ScanSnap」では、名刺の読み取りと管理ができるので紹介します。

名刺をスキャンする

1. スキャナーに名刺をセットする。

2. パソコン上のScanSnap Homeのスキャン画面で「名刺を管理」をクリックし、「Scan」をクリック。あるいは、スキャナー本体の「名刺を管理」で「Scan」ボタンを押す。

3. パソコンに名刺が保存される。氏名や住所に誤りがあれば修正する。

名刺を取り出す

1 「原稿種別」をダブルクリック。

2 「名刺」をクリック。取り込んだ名刺が表示される。

 名刺の管理

ここでは、ScanSnap iX1600を使った名刺の管理について解説しています。使用しているスキャナーによってソフトが異なります。

3 キーワードボックスに氏名や会社名を入力し、[Enter]キーを押す。

4 検索した人の名刺が抽出され、住所や電話番号を見ることができる。

08-10
SECTION

ネット上の役立つ情報を まとめてPDFにする

ネットの記事などをスクラップブックのようにまとめられる

仕事で役立ちそうな記事や興味がある記事は、切り貼りしてスクラップブックのように保存しておきましょう。SECTION04-03の方法で、WebページをPDFにしてもよいですが、レイアウトがくずれるときは画像として保存し、1つのPDFファイルにまとめた方がよいでしょう。

Snipping Toolでコピーする

1. Windows 11または10に入っている「Snipping Tool」を起動し、「新規」をクリック。

ONE POINT Snipping Toolとは

Windows 11または10の「Snipping Tool」は、写真を撮るような感覚でパソコンの画面を保存できるツールです。Windowsの「スタート」ボタンから「Snipping Tool」をクリックして起動できます。

 Web上の必要な記事をドラッグで囲む。

ONE POINT 素早くスクリーンショットを撮るには

[Windows]キーを押しながら[Shift]キーと[S]キーを押すとSnipping Toolが起動するので、必要な箇所をドラッグします。右下に画像が現れるのでクリックすると大きく表示されるので、手順3のように保存します。

 「保存」ボタンをクリックしてパソコンに保存し、pdf_asなどで複数の画像を追加してPDFにする（SECTION04-13参照）。

Chapter 09

有料のAcrobat DCを使ってみよう

「複数のPDFを1つにまとめたい」「PDF文書にリンクを設定したい」といったとき、Chapter04やChapter05の無料ソフトやオンラインサービスでも可能ですが、PDFの機能を最大限に活用したいのなら有料のAcrobat DCの利用も検討しましょう。PDFを開発したアドビ社の有料ソフトなので、高機能で信頼性があります。本書では、Acrobat Pro DCで使える機能の一部を紹介します。

Acrobat DCの有料プランとは

無料のAcrobat Reader DCにはない、多くの編集機能が使える

Chapter02と03で紹介したAcrobat Reader DCは、基本的にPDFを閲覧するためのソフトなので、編集機能は限られています。高度な編集ができるソフトはいろいろありますが、仕事でPDFを頻繁に使うのなら、有料の「Acrobat Pro DC」や「Acrobat Standard DC」を持っていると便利です。

2つの有料プラン

　Acrobat DCは、アドビのPDF作成・編集ソフトです。個人が使えるAcrobat DCの有料プランに、「Acrobat Pro DC」と「Acrobat Standard DC」があり、Acrobat Pro DCは全機能を使うことができますが、Acrobat Standard DCは利用料が少し安い分、「2つのファイルの比較」や「音声や動画の追加」「墨消し」などが含まれていません。

　どちらも有料ですが、Acrobat Pro DCには、体験版があるので試してから利用するとよいでしょう。体験版を利用するには、(https://www.adobe.com/jp/acrobat.html)の上部にある「無料で始める」をクリックした画面で、メールアドレスやクレジットカード情報を入力し、ダウンロードページから開始できます。

　なお、有料プランを使わない場合は、試用期間内にAdobe Account画面 (https://account.adobe.com/plans) にアクセスし、プランの管理からキャンセル手続きをおこなってください。キャンセルしないと自動的に料金がかかるので気を付けましょう。

　本書ではAcrobat Pro DCの画面を使い、Acrobat DCと表記して解説します。

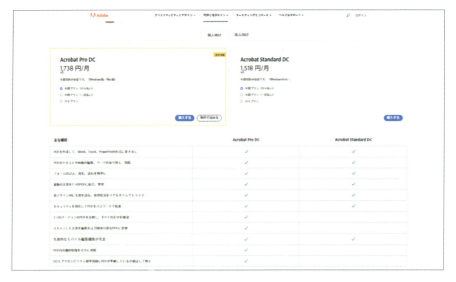

09-02

Acrobat DCで
Wordの文書をPDFに変換する

Wordに追加される「Acrobat」タブから変換できる

Word内で文書をPDFにすることが可能ですが、アドビ社ではAcrobat DCで変換することを推奨しています。Acrobat DCをインストールすると、Wordの画面に「Acrobat」タブが追加されるのですぐに変換できます。また、ONE POINTで紹介するように、エクスプローラーで複数のファイルを一度にPDFにすることも可能です。

PDF形式で保存する

 Acrobat DCをインストールするとWordに「Acrobat」タブが追加される。「Acrobat」タブの「PDFを作成」をクリック。

 保存場所を指定し、ファイル名を入力して「保存」ボタンをクリック。

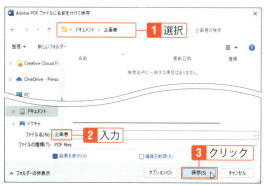

> **ONE POINT 「Acrobat」タブがない場合**
>
> Wordの「ファイル」タブの「その他」→「オプション」→「アドイン」で、下部の「管理」を「COMアドイン」の状態で「設定」をクリックします。「Acrobat PDFMarker～」にチェックを付けて「OK」をクリックします。
> また、Acrobat DCをインストールした直後の場合は、Windowsを再起動してください。

> **ONE POINT 一度に複数ファイルをPDFに変換できる**
>
> 一度に複数のファイルをPDFに変換できます。エクスプローラーで[Ctrl]キーを押しながら複数のファイルをクリックして選択し、右クリックして「Adobe PDFに変換」をクリックします。

09-03 SECTION

スキャンした文書を編集する

Wordで開いて編集する方法との違いは、文字認識の正確さ

SECTION08-03では、WordでPDFを開いて元の文章を編集できることを紹介しましたが、PDFの専用ソフトであるAcrobat DCの方が、より正確に文字を認識してくれます。認識間違いの箇所を修正する負担が減るので、Acrobat DCを使っている場合は活用しましょう。

文字認識を実行する

1 PDFファイルを開き、ツールパネルウィンドウの「PDFを編集」ボタンをクリックするか、「ツール」タブの「PDFを編集」をクリック。

2 文章を編集できる。編集を終了するときには「閉じる」ボタンをクリック。

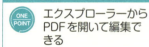

エクスプローラーからPDFを開いて編集できる

エクスプローラーでPDFファイルを右クリックし、「Adobe Acrobatで編集」をクリックすると、Acrobat DCが起動して編集することができます。

PDF/XやPDF/Aで保存するには

PDF規格にはいろいろありますが、Acrobat DCでは、印刷用のPDF/XやPDF/Aに変換することが可能です。「ツール」タブの「PDF規格」をクリックし、右側にあるPDF/XやPDF/Aで保存できます。

PDFをWordやExcel形式にする

Wordを経由せずに、ExcelやPowerPointに変換

「PDFの文章を修正したい」「PDFを作り直したい」といったときに、Wordに変換すると元々あった文字を書き換えることができます。Wordの他にも、ExcelやPowerPointもAcrobat DCだけで変換できます。Wordを経由した変換よりも手軽で正確です。

1. ツールパネルウィンドウの「PDFを書き出し」をクリックするか、「ツール」タブの「PDFを書き出し」をクリック。

2. 「Microsoft Word」の「Word文書」をクリックし、「書き出し」をクリック。

> **ONE POINT　ExcelやPowerPoint形式にするには**
> Excelへ変換する場合は手順2で「スプレッドシート」→「Microsoft Excelブック」をクリックし、PowerPointの場合は、「Microsoft PowerPoint」をクリックします。

3. 保存場所を指定する。一覧にない場合は「別のフォルダーを選択」ボタンをクリックして指定する。ダイアログが表示されたらファイル名を入力して「保存」ボタンをクリック。

09-05 SECTION

PDFを分割／抽出する

複数の無料ソフトを使い分けていた作業が、Acrobat DCだけでできる

「PDFを2つに分けたい」「メールで送るために軽くしたい」といったときには、PDFを分割しましょう。Acrobat DCでは、「ページを整理」画面で、イメージを確認しながら分割や抽出の操作ができます。ここでは、分割する方法を解説します。抽出については ONE POINTを参考にしてください。

ファイルを分割する

1. ツールパネルウィンドウの「ページを整理」をクリックするか、「ツール」タブの「ページを整理」をクリック。

2. 「分割」をクリック。

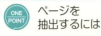

ONE POINT ページを抽出するには
必要なページを取り出したい時は、手順2の画面で「抽出」をクリックし、抽出するページを選択後「抽出」ボタンをクリックします。

3. 何ページごとに分けるかを入力し、「分割」ボタンをクリック。元のファイルと同じ場所に分割したファイルが保存される。

09-06 SECTION

複数のPDFを1つのファイルにする

PDF以外のファイルも含めて結合できる

スキャナーで読み取った紙文書が複数のファイルになった場合などに、簡単に1つのファイルに結合できます。PDFファイルだけでなく、画像ファイルやWordファイルなども、まとめて1つのPDFにすることが可能です。無料のソフトやサービスの場合、制限付きの場合もあるので、Acrobat DCの方が安心です。

ファイルを結合する

1. ツールパネルウィンドウの「ファイルを結合」をクリックするか、「ツール」タブの「ファイルを結合」をクリック。

2. 「ファイルを追加」ボタンをクリックし、「ファイルを追加」ダイアログで、結合するファイルを[Ctrl]キーを押しながらクリックして選択し、「開く」ボタンをクリック。

3. 「結合」ボタンをクリック。

09-07

ファイルサイズを縮小する

画像が多く入っているPDFで行うと効果的

PDFファイルをメールで送る場合やインターネットに載せる場合はファイルサイズを縮小しましょう。Acrobat DCでは、最適化することで、画像の圧縮や不要な埋め込みフォントの削除、不要になった項目の削除が行われ、ファイルサイズを縮小することができます。また、注釈や添付ファイルを破棄するか否かなどを選択して最適化することも可能です。

PDFを最適化する

1 「ツール」タブの「PDFを最適化」をクリック。

2 「PDFを圧縮」をクリック。

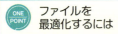

ファイルを最適化するには

手順2の画面のツールバーで、「高度な最適化」をクリックすると「無効なしおりを破棄」「無効なリンクを削除」など目的に合わせてファイルを最適な状態にすることができます。

3 保存先の指定し、ファイル名を入力して「保存」ボタンをクリック。

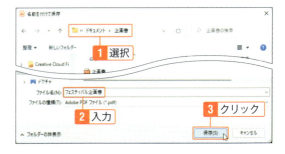

09-08 SECTION

他のWebページやファイルへのリンクを設定する

範囲を選択して自由にリンクを設定できる

PDF内の文字や画像をクリックすると、Webページが開いたり、同じPDF内の他のページに移動させたりしたいときには、リンクを設定します。Acrobat DCでは、まず文字または画像を範囲選択してからリンクの設定をします。URLからリンクを自動作成することも可能です。

Webページへのリンクを設定する

1 SECTION09-03の手順2の画面で、「リンク」をクリックし、「Webまたは文書リンクを追加/編集」をクリック。

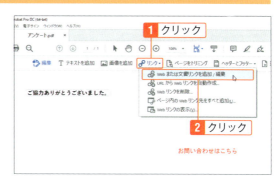

> **ONE POINT　URLにリンクを設定するには**
> 手順1の画面で、「URLからWebリンクを自動作成」を選択すると、URLが入力されている箇所にWebページへのリンクを設定することができます。

2 リンクを設定する部分をドラッグし、「Webページを開く」を選択。ファイルを指定する場合は「ファイルを開く」を選択する。「次へ」をクリック。

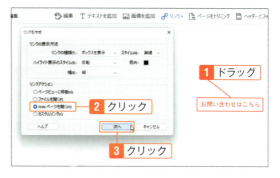

3 URLを入力し、「OK」ボタンをクリック。

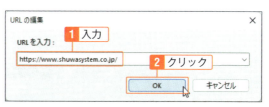

ヘッダー・フッターを追加する

資料名や会社名、ページ番号などを入れられる

ページの上部にタイトルを入れたり、ページの下部にページ番号を入れたい時には、各ページに入力しなくても、すべてのページに統一して入れることができます。Acrobat DCでは、ヘッダーやフッターの書式や余白などを細かく設定することが可能なので、文書に適したものをイメージ通りに入れられます。

ヘッダーにタイトルを入れる

1 SECTION09-03の手順2の画面で、「ヘッダーとフッター」をクリックし、「追加」をクリック。

2 ヘッダーに入れる文字を入力し、「OK」ボタンをクリック。

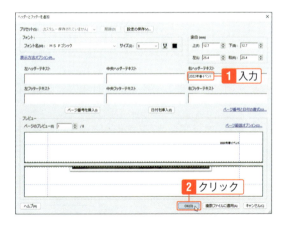

3 ページ上部にタイトルが追加される。

フッターにページ番号を入れる

1. 「ヘッダーとフッター」をクリックし、「更新」をクリック。

2. 「ページ番号と日付の書式」をクリックし、書式を選択し、「OK」ボタンをクリック。

3. ヘッダーまたはフッターの入れたい部分をクリックし、「ページ番号を挿入」をクリック。

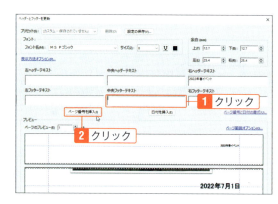

4. 表示を確認して「OK」ボタンをクリックするとページ番号が追加される。

 ヘッダー・フッターを削除するには

手順3の画面で、不要なヘッダーまたはフッターをドラッグし、[Delete]キーで削除します。また、すべてのヘッダーとフッターを削除する場合は、ツールバーの「ヘッダーとフッター」をクリックし、「削除」をクリックします。

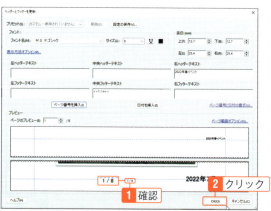

09-10 SECTION

「社外秘」や「非公開」などの透かしを入れる

角度や不透明度などを自由に調整できる

ページの背景に薄い文字で「社外秘」や「非公開」などの文字を入れたい時には「透かし」の機能を使います。Acrobat DCでは、透かしとして入れる文字の大きさや位置を自由に決めることができるので、ページの隅に入れたり、背景に大きく入れたりと、イメージ通りにできます。

透かしを追加する

 SECTION09-03の手順2の画面で、「透かし」をクリックし、「追加」をクリック。

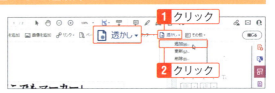

 透かしとして入れる文字を入力。「不透明度」のスライダを左方向へドラッグして文字を半透明にする。「回転」や「ページに合わせた相対倍率」なども設定し、「OK」ボタンをクリック。

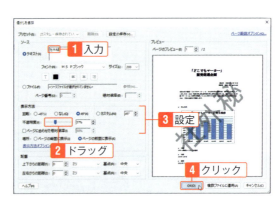

> **ONE POINT** 透かしの文字を大きくするには
> 手順2の「サイズ」ボックスは、「∨」をクリックした一覧から選べますが、直接入力も可能です。数値が大きいほど大きな文字になります。

 透かしが入った。

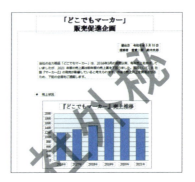

> **ONE POINT** 透かしを削除するには
> 手順1の画面で、「透かし」をクリックし、「削除」をクリックします。

PDFに音声や動画を入れる

文字や画像だけでは表現できない場合に役立つ

実は、PDFには音声や動画を入れることが可能です。長文の資料や教材などに挿入すれば読むのが苦手な人にも好都合です。また、会議や講演会の配布資料に入れれば実際の参加者のように視聴できます。なお、視聴する際は、アドビ社製以外のPDF閲覧ソフトでは再生できない場合があるので、Acrobat Reader DCで視聴してください。

音声ファイルを挿入する

 「ツール」タブの「リッチメディア」をクリック。

ONE POINT　サポートしているマルチメディアファイルのファイル形式

Acrobat DCでは、mp3、mov、およびその他の H.264（AACオーディオを含む）でエンコードされているファイルをサポートしています。なお、Acrobat Standard DCにはリッチメディア挿入の機能がないのでここでの操作はできません。

 「サウンドを追加」（動画の場合は「ビデオを追加」）をクリックし、音声を入れる箇所をドラッグ。音声ファイルを選択し、「OK」ボタンをクリック。

ONE POINT　メッセージが表示された

Acrobat Reader DC でPDFを開くと、メッセージが表示されるので「オプション」をクリックし、「常にこの文書を信頼する」または「今回のみこの文書を信頼する」をクリックします。なお、再生を止めるときは挿入した音声の上を右クリックして「コンテンツを非アクティブにする」をクリックしてください。

09-12 SECTION

2つのPDFの差分を確認する

データ量の多い資料でもすぐに差分を調べられる

古いファイルと新しいファイルの違いを調べたい時、ページ数が多いファイルだと比較するのに時間がかかります。そこで、Acrobat Pro DCの「ファイルを比較」をおすすめします。注釈のみを調べることもでき、変更箇所にコメントを付けることも可能です。なお、Acrobat Standard DCにはこの機能はありません。

ファイルを比較する

1. 「ツール」タブの「ファイルを比較」をクリック。

2. 古いファイルと新しいファイルを指定し、「比較」をクリック。

> **ONE POINT 注釈だけ比較したい場合**
> 注釈のみを比較する場合は、ツールバーの「フィルタ」をクリックし、「注釈」のみにチェックを付けます。

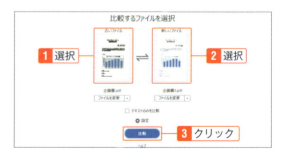

3. 上部の「次の変更」をクリックしていくと変更箇所がわかる。変更箇所をクリックしてコメント入力も可能。

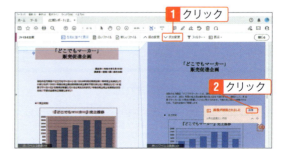

09-13 SECTION

フォームを作成する

元になるデータを用意しておくと簡単に作れる

SECTION04-19でフォームの作り方を簡単に説明しましたが、Acrobat Pro DCでのフォームの作成方法を説明します。はじめから作成するよりも、ExcelやWordで元になる文書を作成してからAcrobat DCで編集した方が、簡単かつ綺麗に作成できます。

アンケートフォームを作成する

 Excelでフォームの元になる文書を作成する。その際、文章を入力するボックスは罫線で囲んでおく。

> **ONE POINT 元になるフォームを作成する**
>
> Acrobat DCでは、ExcelやWordなどで作成したファイルを、自動的にPDFのフォームに変換できる機能があります。作成する場合は、ExcelとWordどちらでもよいですが、Excelのセルを枠として使うと作りやすいです。

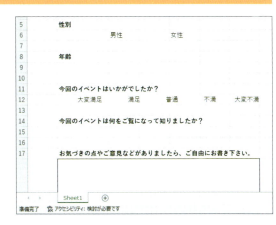

2 「ツール」タブの「フォームを準備」をクリック。

3 「ファイルを選択」をクリックしてExcelのファイルを選択する。あらかじめファイルを開いている場合は次ページの手順4に進む。

4 「開始」ボタンをクリック。入力ボックスを自動認識させたくない場合は下部にある「フォームフィールドの自動検出はオンです」の「変更」をクリックして設定可能。

5 PDFに変換された。自動認識された入力ボックスを右クリックし、「プロパティ」をクリック。

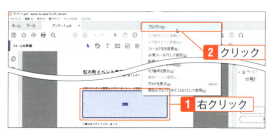

6 「名前」ボックスにボックス名を入力し、「閉じる」をクリック。

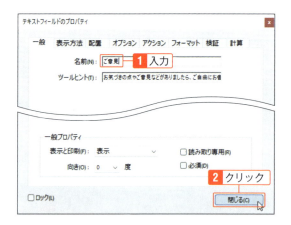

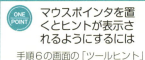

マウスポインタを置くとヒントが表示されるようにするには

手順6の画面の「ツールヒント」ボックスに「カタカナで入力してください」などと入力すると、利用者がボックスのポイントしたときに、ヒントのメッセージとして表示させることができます。

ラジオボタンを作成する

1 「ラジオボタン」ボタンをクリックし、ラジオボタンを入れる位置をクリック。

2 ラジオボタンに付ける名前とグループ名を入力。ここでは「男性」と入力し、グループ名を「性別」とする。「別のボタンを追加」をクリック。

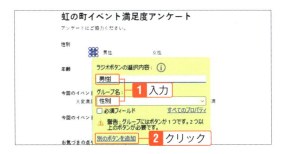

3 別の箇所をクリックし、ラジオボタン名を入力。ここでは「女性」と入力する。できたら、ページ内の空白の部分をクリック。

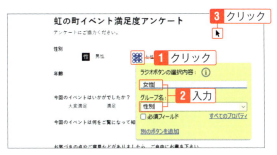

チェックボックスを作成する

1 「チェックボックス」ボタンをクリックし、チェックボックスを入れる位置をクリック。

2 フィールド名を入力する。ここでは「大変満足」と入力。ページ内の空白の部分をクリック。

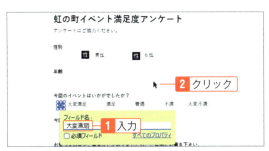

ドロップダウンリストを作成する

1. 「ドロップダウンリスト」ボタンをクリックし、リストを入れる位置をクリック。

ONE POINT 「ドロップダウンリスト」と「リストボックス」

選択肢を選んでもらう方法に「ドロップダウンリスト」と「リストボックス」があります。ここで説明する「ドロップダウンリスト」は、クリックすると選択肢が表示されるボックスです。リストボックスは、はじめから選択肢の一覧が表示されているボックスです。

▲ドロップダウンリストとリストボックス

2. フィールド名を入力し、「すべてのプロパティ」をクリック。

3. 「オプション」タブの「項目」ボックスに選択肢を入力し、「追加」ボタンをクリック。

4. 同様に他の選択肢も入力し、「閉じる」ボタンをクリック。

ONE POINT フォームを確認するには

「フォームを準備」ツールバーの右端にある「プレビュー」ボタンをクリックすると、どのようなフォームになるかを確認できます。

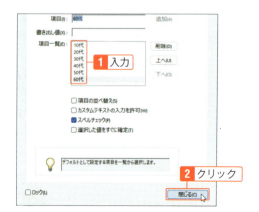

09-14 SECTION

機密情報を塗りつぶす

個人情報や機密情報を隠して、外部に資料を送れる

Acrobat DCには、PDF上の機密情報を塗りつぶして見えないようにし、PDFから削除できる「墨消し」の機能があります。公開する文書に個人情報が入っていたり、部外者に知られたくない情報が載っているときに利用してください。「プロパティ」画面で黒以外の色で塗りつぶすことも可能です。なお、Acrobat Standard DCにはこの機能はありません。

墨消しを適用する

1 「ツール」タブの「墨消し」をクリック。

2 「テキストと画像を墨消し」をクリック。メッセージが表示されたら「OK」ボタンをクリック。

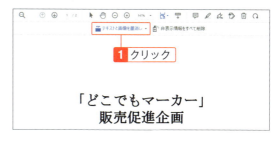

3 墨消しする部分をドラッグし、「適用」ボタンをクリックすると黒く塗りつぶされる。メッセージが表示されたら「OK」ボタンをクリック。この後、「非表示情報を完全に削除」をオンにすると作成者情報や作成日時などの情報を削除できる。

09-15

印刷やコピーができないようにする

請求書や受領書のPDFでも役立つ

請求書や契約書などをPDFファイルにする場合、第三者に複製や改ざんされないように「コピー」「編集」「印刷」を不可にできます。設定変更する時に必要になるパスワードも合わせて活用しましょう。ただし、コピーや印刷不可の設定を解除するようなソフトもあるため、絶対に安心ということはありません。

編集の権限を設定する

1. 「セキュリティ設定」をクリック。あるいは「ツール」タブ(見えていない場合は「V」をクリック)の「セキュリティ設定」をクリック。

2. 「詳細オプション」をクリックし、「セキュリティプロパティ」をクリック。

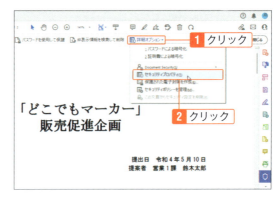

3. 「セキュリティ方法」の「V」をクリックし、「パスワードによるセキュリティ」をクリック。

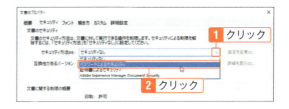

4 「文書の印刷及び編集を制限〜」にチェックを入れて、「印刷を許可」と「変更を許可」を「許可しない」にする。また、コピー不可にするには「テキスト、画像、およびその他の内容のコピーを有効にする」のチェックをはずす。

5 「権限パスワードの変更」に権限変更用のパスワードを入力し、「OK」ボタンをクリック。メッセージが表示されたら「OK」ボタンをクリック。

6 設定したパスワードを入力し、「OK」ボタンをクリック。メッセージが表示されたら「OK」ボタンをクリック。

7 「OK」ボタンをクリック。

 コピーは不可だが印刷や編集は許可する場合

印刷可能にしたい場合は、手順4の画面で「印刷を許可」のVをクリックし、「高解像度」または「低解像度」を選択します。編集を可能にする場合は、「変更を許可」のVをクリックして許可する操作を選択します。

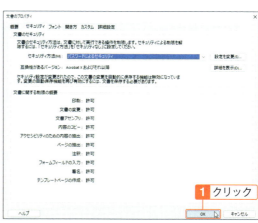

223

09-16

PDFにパスワードを設定する

印刷・コピー不可とセットにしてセキュリティを高めよう

SECTION09-15では、印刷やコピーができないように設定しましたが、さらに、PDFを開くときにパスワードがないと開けないようにしておくと、セキュリティをより強化できます。情報漏えいが問題となることが多いので、重要文書には必ず設定しておきましょう。

パスワードによる暗号化を設定する

 SECTION09-15の手順3の画面で、「文書を開くときにパスワードが必要」にチェックを付けて、パスワードを入力し、「OK」をクリック。

> **ONE POINT** 素早くパスワードを設定するには
> SECTION09-15の手順2の画面で、「パスワードを使用して保護」をクリックした画面で、閲覧または編集のパスワードを設定することも可能です。

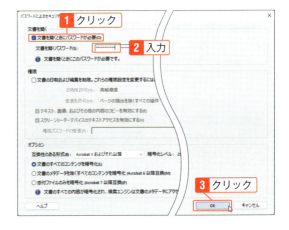

 設定したパスワードを入力し、「OK」をクリック。次の画面も「OK」ボタンをクリック。

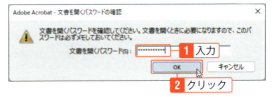

> **ONE POINT** パスワードを解除するには
> SECTION09-15の手順2の画面で、「詳細オプション」をクリックし、「この文書からセキュリティ設定を削除」をクリックし、「OK」ボタンをクリックします。

Chapter 10

電子取引や電子契約で PDFを使おう

従来、紙の請求書や領収書に押印するのが当然でしたが、ペーパーレス化が進み、電子データのみの取引が増えてきました。また、契約締結に関しても、多くの企業で電子契約を導入しています。そこで、このChapterでは電子取引や電子契約で使われる押印や署名について解説します。本格的な署名が必要な場合と、そうでない場合があるので、用途によって使い分けるようにしてください。

10-01

日付の電子印鑑を押印する

実物のゴム印のように押印できる

検印や受領印でよく見かける日付印ですが、PDFの文書に同じように入れたい場合、Acrobat Reader DCで簡単に押印することができます。複数のタイプが用意されていて、名前入りの日付印も可能です。大きさもドラッグ操作で自由に変えられるので、枠内にぴったり収めることができます。

日付印を押印する

1. Acrobat Reader DCでPDFファイルを開き、ツールパネルウィンドウの「コメント」ボタンをクリック（または「表示」メニュー→「ツール」→「コメント」→「開く」）。「スタンプを追加」をクリック。

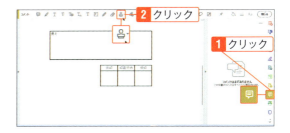

2. 「電子印鑑」をポイントして日付の印鑑をクリックし、押印する箇所をクリック。

 Acrobat Reader DCの電子印鑑の種類

手順2の一覧には、日付なしや名前入りなど、さまざまな印鑑が用意されています。名前の印鑑については次のSECTIONで解説します。

3. 日付印を押印した。四隅のハンドルをドラッグしてサイズを調整する。

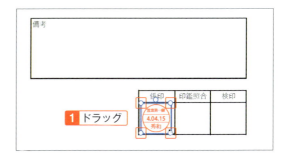

10-02

簡単に名前の電子印鑑を押印する

Acrobat Reader DCで名前の印鑑を押せる

紙の文書に名前入りの印鑑を押すのと同様に、PDFにも同じように押すことができます。ペイントやWordなどを使って作成する方法もありますが、Acrobat Reader DCで簡単に名前の印鑑を押すことができるので紹介します。

名前の印鑑を入れる

1 Acrobat Reader DCでPDFファイルを開き、「コメント」ボタンをクリック。「スタンプを追加」→「電子印鑑」をクリックし、▼をクリック。

ONE POINT　後から氏名を変更するには
SECTION03-13で、スタンプを追加するときに入力した名前の印鑑になります。変更したい場合は「編集」メニューの「環境設定」をクリックし、左の一覧から「ユーザー情報」を選択して表示された画面で、姓名を変更してください。

2 名前の印影をクリック。

3 押印したい部分をクリック。

10-03 SECTION

実物の印鑑と同じように押印する

文字の上にも押せる印鑑を作成する

前のSECTIONでは、Acrobat Readerに用意されている印鑑を押す方法を解説しましたが、ここでは実物の印鑑の印影を使う方法を解説します。スマホやスキャナーで読み取ってそのまま押印すると、文字が隠れてしまいます。隠れないようにするために一手間かかりますが、次以降は一覧から選ぶだけなので作っておくとよいでしょう。

ペイント3Dで名前の部分を切り抜く

 印影をスマホで撮影するか、スキャナーでスキャンして、パソコンに保存する。スキャナーの場合はPDF形式ではなく、JPEG形式で保存する。

> **ONE POINT　スマホで撮影した画像をパソコンで使うには**
>
> メールで送信してもよいですが、SECTION05-20のDropboxやSECTION05-15のGoogleドライブなどのクラウドに保存すれば、パソコンからアクセスしてダウンロードできます。

> **ONE POINT　実際の印鑑の印影をPDFに押すには**
>
> 紙の文書で使っていた印鑑をPDFでも使いたい場合は、白い紙に押印し、スマホで撮影して画像にします。スキャナーで読み取る場合は、JPEG形式で保存してください。読み取った印影の画像をAcrobat Readerで押印できるのですが、そのまま押印すると、背景が残っているため、下にある文字が隠れてしまいます。そこで、「ペイント3D」を使って背景を透明にします。

 「スタート」メニューから「ペイント3D」を起動し、「開く」をクリックして印影の画像を開く。

1 クリック

ペイント3Dとは

Windowsに搭載されている「ペイント」アプリの後継として、Windows 10 Creators Updateから追加された無料描画ソフトです。立体的なイラストや画像の切り抜き・透過処理などができます。パソコンにインストールされていない場合は、「スタート」ボタンから「Microsoft Store」を開き、「ペイント3D」を検索して、「入手」をクリックするとインストールできます。

3 「マジック選択」をクリックし、周囲のハンドルをドラッグしておおまかに印影を囲む。やりにくい場合は、右上のスライダをドラッグして縮小、拡大表示させながら操作する。

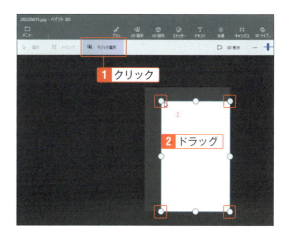

4 「次へ」をクリック。

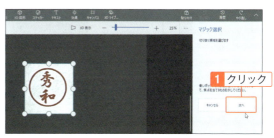

5 「削除」をクリックし、透過する領域（消したい部分）をドラッグまたはクリックする。

6 文字が赤色になっていない場合は「追加」をクリックして、文字の上をクリックする。

上手く切り抜くには

　白い領域は、白色の背景として残ってしまうので、右端の「削除」を選択して、白い部分をクリックしてください。反対に、文字が暗くなっている場合は、消えてしまうので、「追加」を選択して文字の上をクリックしてください。やり直す場合は、右上の「元に戻す」ボタンをクリックします。

7 「完了」をクリック。

8 作成した印影の上を右クリックして、「コピー」をクリック。

9 もう1つ「ペイント3D」を起動し、手順2の画面で「新規作成」をクリックし、新しいキャンバスを用意する。「貼り付け」をクリック。

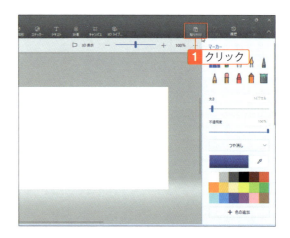

10 上部の「キャンバス」をクリックし、右側の「透明なキャンバス」をオンにする。「縦横比を固定する」はオフにする。

11 四隅のハンドルをドラッグして、印影を囲む。左上の「メニュー」をクリック。

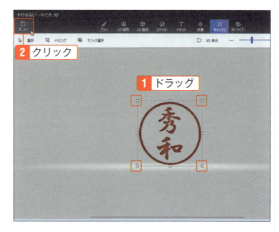

12 「名前を付けて保存」をクリックし、「画像」をクリックして、そのままファイルを保存する。PNG形式で保存される。

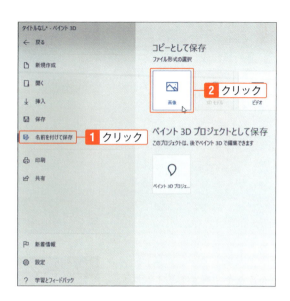

Acrobat Reader DCを使って押印する

1 Acrobat Reader DCで押印するファイルを開き、ツールパネルウィンドウの「コメント」をクリックする。ツールバーの「スタンプを追加」→「カスタムスタンプ」をポイントして「作成」をクリック。

 PDFの請求書

電子帳簿保存法により、電子取引の請求書は内容を変更できない形式で作成します。そのため、PDFが使われますが、編集不可のセキュリティ設定をすると安心です（SECTION09-15参照）。また、銀行口座情報などが記載されているので、PDFにパスワードを設定した方が望ましいとされています（SECTION09-16参照）。押印は、法的には不要ですが、取引先に求められる場合もあります。

「参照」ボタンをクリックし、作成した画像ファイルを指定する。「OK」ボタンをクリック。

> **ONE POINT 請求書のテンプレート**
>
> PDFの請求書を使いたい場合、アドビ社のサイトにテンプレートがあるので活用してください。
> https://www.adobe.com/jp/documentcloud/business/discover/templates/invoice.html

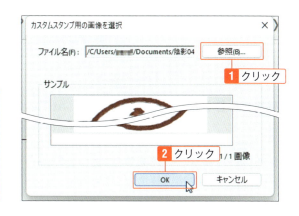

「分類」ボックスに分類名を入力、「名前」ボックスにスタンプ名を入力して「OK」ボタンをクリック。

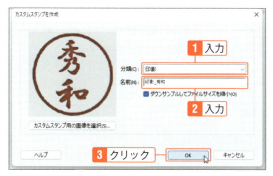

「スタンプを追加」をクリックすると、一覧に追加されているのでクリックで押印する。

> **ONE POINT 印影が大きすぎる場合**
>
> 挿入した印影はドラッグでサイズを変更できますが、あまりにも大きい場合は、2ページ前の手順9で画像を貼り付けた後、[Shift]キーを押しながら、周囲のハンドルをドラッグして「幅」と「高さ」を250ピクセル前後にしてから手順10に進んでください。

5 四隅のハンドルをドラッグしてサイズ変更が可能。

10-04

手書きの署名を入れる

手描きの署名を求められてもAcrobat Reader DCで簡単に入れられる

タイピングで入力する署名は、誰でもできるので、本人の署名かどうかわかりにくいです。手書きの署名なら本人である可能性が高くなります。Acrobat Reader DCで、手書きの署名を簡単に入れられるので試してください。「印刷して手書きをし、再びパソコンに入れて」という操作は不要になります。

署名を追加する

 ツールパネルウィンドウの「入力と署名」ボタンをクリック。

> **「入力と署名」ツールバーの表示方法**
> ツールパネルウィンドウのボタン以外に、「ツール」タブの「入力と署名」をクリックしても表示できます。

② 「自分で署名」をクリックし、「署名を追加」をクリック。

③ 「手書き」をクリック。

> **署名の種類**
> 署名の種類は、「手書き」の他にも「タイプ」と「画像」があります。キーボードで入力する場合は「タイプ」、署名の画像がある場合は「画像」を選択します。

名前を書いて、「適用」ボタンをクリック。

> **ONE POINT** スマホで署名を入れる方法
>
> スマホでも署名を入れる場合は、SECTION06-08を参照してください。

5 入れたい箇所をクリックすると、署名を入れることができる。

6 「A」をクリックして文字サイズを変更できる。終わったら「入力と署名」ツールバーの「閉じる」ボタンをクリック。

> **次回署名を入れるときは**
>
> 次からは、「自分で署名」をクリックして作成した署名を選択するだけで済みます。もし削除したい場合は、右にある「-」をクリックします。
>
>

10-05 SECTION

デジタル署名を付与する

なりすましや改ざん防止の文書をすぐに送りたい時に

前のSECTIONでは、手書きの署名を入れましたが、このままでは署名者本人であることを証明できません。そこで、デジタル署名が使われます。デジタル署名なら、署名者本人であることと、文書が改ざんされていないことを証明できます。デジタル署名には、デジタルIDが必要ですが、ここでは、操作を覚えてもらうために簡単な方法で紹介します。

デジタル署名を作成する

 「ツール」タブの「証明書」をクリック。

ONE POINT デジタル署名とは

デジタル署名は、公開鍵暗号方式を使う署名で、通常の電子署名よりセキュリティが強化されるため、法的有効性を求められる文書に使われます。「公開鍵」と「秘密鍵」の2つの鍵があり、署名者が秘密鍵を使うことで暗号化し、文書に証明書が結合されます。受信者が検証する際には、署名者からの公開鍵により、署名者本人であることと、署名後に改ざんされていないことを確認できる仕組みになっています。

2 「デジタル署名」をクリック。メッセージが表示されたら「OK」ボタンをクリック。

> **デジタル署名を依頼する手順**
>
> 自分と依頼先がデジタル署名を付与する手順は次の通りです。
> ❸については次のSECTIONで解説します。
>
> ❶ 自分がデジタル ID を使って PDF に署名する
> ❷ 自分が証明書を書き出して、依頼先に送信する
> ❸ 依頼された人が証明書を取り込んでPDFを表示する

3 デジタル署名を入れる部分をドラッグし、「デジタルIDを設定」ボタンをクリック。

> **デジタルIDとは**
>
> 　デジタルID は、証明書によるセキュリティおよび電子署名のために使用されるもので、名前、メールアドレス、シリアル番号などの情報が格納されています。Acrobat Reader DCまたはAcrobat DCでは、「Self-Sign デジタルID」、「Windows 証明書のデジタルID」、「サードパーティの認証局から発行されたデジタルID（証明書ID）」を使った署名ができます。Windows証明書のデジタルIDは、相手もWindowsパソコンが必要です。ここでは、Self-Sign デジタルIDを例にして操作方法を解説します。

4 「新しいデジタルIDの作成」をクリックし、「続行」ボタンをクリック。

5 「ファイルに保存」をクリックし、「続行」ボタンをクリック。

6 署名者の名前やメールアドレスなどを入力。「デジタルIDの使用対象」のVをクリックし、「デジタル署名とデータの暗号化」を選択して「続行」ボタンをクリック。

> **ONE POINT 重要文書にデジタル署名を使う場合**
>
> Self-SignデジタルIDは自身が身元を証明するため、相互の信頼関係が確立されている場合に使われます。大半の商取引では、サードパーティの認証機関のデジタル ID が必要です。その場合、認証局やプロバイダーから指定された方法で証明書を取り込んでください。

7 ファイルの保存場所を指定し、2か所にパスワードを入力して「保存」ボタンをクリック。

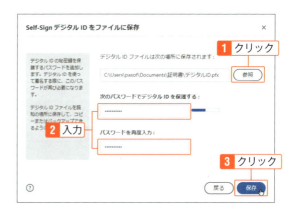

8 作成したデジタルIDになっていることを確認し、右下の「続行」ボタンをクリック。

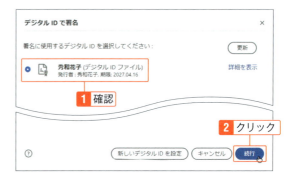

> **ONE POINT　デジタルIDを削除・追加するには**
>
> 作成したデジタルIDを削除したい場合は、「編集」メニューの「環境設定」をクリックし、左の分類から「署名」をクリックします。「IDと信頼済み証明書」の「詳細」をクリックし、ダイアログが表示されたら、「デジタルID」にあるIDを選択して、上部の「IDを削除」をクリックします。また、保存してあるデジタルIDを追加する場合は上部の をクリックして追加します。

9　先ほど設定したパスワードを入力し、「署名」ボタンをクリック。

10　ファイルの保存先を指定する。ファイル名を入力し、「保存」ボタンをクリック。

11　デジタル署名を追加した。「閉じる」ボタンをクリックして終了する。

証明書を書き出す

1 デジタル署名をクリックし、「署名のプロパティ」をクリック。

2 「署名者の証明書を表示」ボタンをクリック。

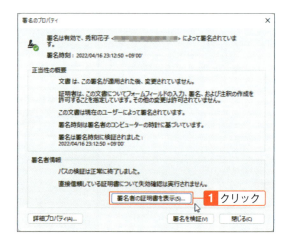

3 「概要」タブの「書き出し」をクリック。

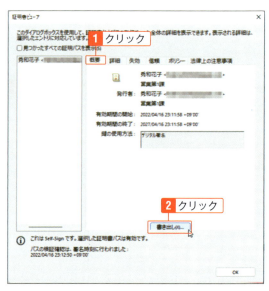

4 「書き出したデータをファイルに保存」を選択し、「証明書ファイル」を選択して「次へ」ボタンをクリック。

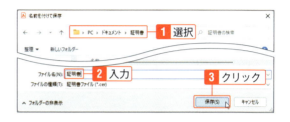

> ONE POINT **証明書の書き出し先**
>
> ここでは、証明書いったん保存して相手に送る方法で解説しますが、手順4で「書き出したデータを電子メールで送信」を選択して、直接メールで送ることも可能です。

5 ファイルの保存先を指定し、「保存」ボタンをクリック。「データをファイルに保存」を選択し、「次へ」をクリック。

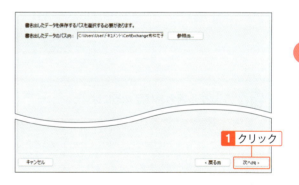

6 「次へ」をクリック。

7 「完了」をクリック。ダイアログボックスを閉じる。

> ONE POINT **デジタル署名の検証**
>
> 次のSECTIONで説明しますが、この後、相手に証明書を渡し、信頼済み証明書として取り込んでもらいます。証明書を信頼済み証明書のリストに追加することで、デジタル署名の検証ができるようになります。

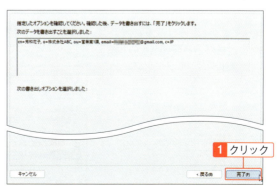

10-06
SECTION

デジタル署名を検証する

署名者本人であることと、改ざんされていないことをチェックする

デジタル署名が付与された文書を受け取ったら、Acrobat Reader DCで、署名が署名者本人のものであることと、文書が改ざんされていないことを確認できます。そのためには、証明書を取り込む必要があります。なお、次回以降に、同じ証明書が付与された文書を受け取った場合は、証明書の取り込みは不要です。

証明書を取り込む

1 Acrobat Reader DCを起動し、「編集」→「環境設定」をクリック。

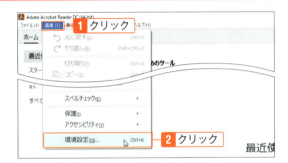

ONE POINT デジタル署名を検証するには

デジタル署名を検証するには、前のSECTIONでの証明書を受け取り、信頼済み証明書として登録する必要があります。証明書を取り込まずにファイルを開くと、「少なくとも1つの署名に問題があります」などと表示され、署名をクリックすると「署名の安全性は不明です」と表示されます。
なお、証明書が信頼できることを確認の上、取り込んでください。

 「署名」をクリックし、「IDと信頼済み証明書」の「詳細」ボタンをクリック。

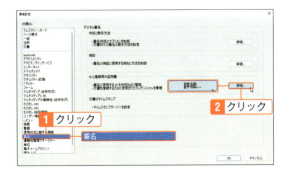

3 「信頼済み証明書」をクリックし、「取り込み」をクリック。

4 「参照」をクリックし、受け取った証明書ファイルを選択する。

5 追加した連絡先をクリックすると証明書が表示されるので、クリックして「信頼」をクリック。

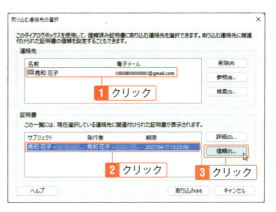

 デジタル署名と電子署名の違い

「デジタル署名」=「電子署名」のように使われることもありますが、定義が異なります。電子署名は、電子文書に付与する署名全般のことをいい、電子署名の一つとしてデジタル署名があります。

「この証明書を信頼済みのルートとして使用」と「証明済み文書」にチェックを入れて「OK」ボタンをクリック。

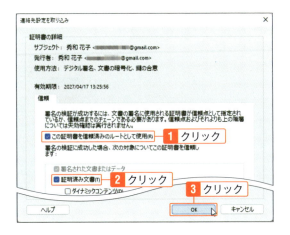

「取り込み」ボタンをクリックし、「OK」ボタンをクリック。

> **ONE POINT 取り込んだ信頼済み証明書の確認**
>
> 取り込んだ証明書は、手順3の「信頼済み証明書」一覧の下部に追加されているので確認できます。

PDFを開くと、「署名済みであり、すべての署名が有効です。」と表示される。デジタル署名をクリックすると「署名の検証のステータス」が表示される。

> **ONE POINT 「署名の安全性は不明です」と表示される**
>
> 証明書を取り込んでも、「署名の完全性は不明です」や「少なくとも1つの署名に問題があります」のメッセージが表示される場合は、「編集」メニュー→「環境設定」→分類の「署名」→「検証」の「詳細」ボタンをクリックし、「Windows統合」の「署名を検証」と「証明済み文書を検証」にチェックを付けてください。
> また、分類の「信頼性管理マネージャー」をクリックし、「Adobe AATLサーバーから信頼済み証明書を読み込む」の「今すぐ更新」をクリックしてください。
> それでも不明のメッセージが表示される場合は、別の証明書を取り込んだ可能性もあります。

10-07 SECTION

Acrobat DCで
電子契約書への署名を依頼する

アドビ社の電子契約サービスならAcrobat上で操作できる

SECTION10-05と10-06で解説したSelf-Sign IDのデジタル署名は、正式な文書では認められない場合があります。とはいえ、認証局のデジタルIDを使うには審査があり、手間も費用もかかります。そこで、電子契約サービスがおすすめです。さまざまな電子契約サービスがありますが、ここではアドビ社の「Acrobat Sign」を使う方法を解説します。

署名を依頼する

 1 アドビアカウントにログインして、ファイルを開く。ツールパネルウィンドウの「電子サインを依頼」（または「電子サイン」（署名）メニューの「電子サインを依頼」）をクリック。

ONE POINT　電子契約サービスとは

電子契約サービスは、紙の契約書への記入や押印の代わりとして、クラウド上で契約の取り交わしができるようにしたシステムのことです。「本人性」と「非改ざん性」を担保する仕組みがあるので、一般的な契約なら問題なく使えます。

 ONE POINT　電子サインとは

電子サインも電子署名の1つで、利用者の電子メールアドレスやパスワードなどの情報と、署名の履歴ログに基づいて、利用者の本人性と非改ざん性を証明します。「デジタル署名までは必要ない」という場合に使われます。似たような名前で混乱しやすいですが、整理すると、電子署名の中に電子サインとデジタル署名があり、電子サインより法的有効性が高いのがデジタル署名となります。

 ONE POINT　アドビの電子契約サービス

さまざまな電子契約サービスがありますが、その1つにアドビ社の「Acrobat Sign」があります。Acrobat DCの署名依頼機能は、「Acrobat Sign」を介して、電子サインを付与します。また、付与した署名には、デフォルトでeIDAS準拠の認定済みタイムスタンプが適用されます。なお、Acrobat Signでは、標準で電子サインを使用しますが、オプションでデジタル署名を組み合わせることも可能です（SECTION10-09参照）。

自分のメールアドレス（現在のアドビアカウントのアドレス）を入力し、[Enter]キーを押す。

 依頼先のメールアドレスを入力。続いてタイトルやメッセージを入力し、「署名場所を指定」をクリック。

ONE POINT メールアドレスを入力する順番

複数人が署名する場合、メールアドレスを入力した順で署名し、前の人が署名してから次の人が署名できます（「詳細オプション」で任意の順序も可能）。ここでは、はじめに自分が署名するので自分のメールアドレスから入力します。

4 右端で、自分のメールアドレスをクリックし、署名する箇所をクリック。右端の「高度な編集をオン」になっている場合はオフにする。

ONE POINT パスワードを設定するには

ファイルを開くときにパスワードを入力するようにしたい場合は、手順3で「詳細オプション」をクリックして表示された画面で、「パスワード保護」にチェックを付けてパスワードを設定します。

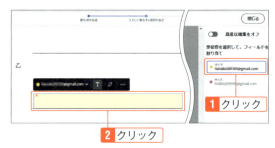

5 「署名フィールドに設定」ボタンをクリックすると、「署名」と表示される。

6 同様に、依頼先のメールアドレスをクリックし、署名する箇所をクリック。その後「署名フィールドに設定」ボタンをクリックしてから、画面右下の「署名して送信」をクリック。

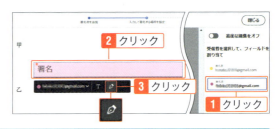

> **ONE POINT 高度な編集**
>
> 手順6の画面右上にある「高度な編集をオフ」をクリックしてオンにすると、「印鑑」や「イニシャル」、「会社名」などのフィールドを入れられます。また、「トランザクション」フィールドを入れて、文書上のリンクから検証することも可能です。

7 自分を最初の署名者にした場合は署名の画面が表示される。クリックして署名する。

8 「クリックして署名」をクリック。

> **ONE POINT 署名依頼を利用できる件数**
>
> 無料のAcrobat Reader DCでも署名の依頼ができますが、月に2回までとなっています。Acrobat DCは無制限で使えます。なお、依頼された側は、アドビ製品を購入する必要はありません。ここでは、Acrobat Pro DCで解説しています。

依頼された側が署名を付与する

1 依頼された側は、届いたメールにある「確認して署名」をクリックしてファイルを開く。

2 右上にサインする箇所の数が表示されている。「次の必須フィールド」をクリック。

3 署名場所に移動するので、フィールドをクリック。

4 登録している署名が入力される。他に入力箇所がないことを確認し、「クリックして署名」をクリック。

> **署名を変更するには**
>
> 手順4で署名をクリックすると、名前を変更でき、会社名を追加できます。また、手書きや画像の署名に変更することも可能です。

5 署名が完了した。

契約書を確認する

1 依頼した人は、Acrobat DCの「ホーム」タブにある「すべての契約書」をクリックし、表示する契約書をダブルクリック。ログイン画面が表示された場合は依頼元のアドビアカウントでログインする。

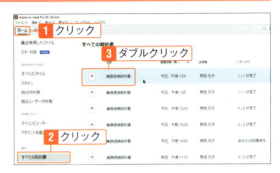

> **ONE POINT 契約書を確認するには**
>
> 署名が終わると、署名した全員に添付ファイル付きのメールが届きます。依頼された人は、「契約書を開く」をクリックして表示できます。依頼元は、「文書」をクリックするとブラウザに表示されます。ファイルは、アドビのクラウドに保存され、Acrobatオンライン（https://acrobat.adobe.com/）でも確認できます。

2 「署名パネル」をクリックする。「>」をクリックすると署名情報が表示される。

> **ONE POINT 「監査レポート」を見るには**
>
> 手順2の画面右下にある「監査レポート」をクリックすると、契約の履歴が表示され、いつ誰が送信、閲覧したかや、トランザクション番号などを確認できます。

10-08

Acrobatオンラインサービスで電子契約書への署名を依頼する

アドビ社のオンラインサービスでも署名依頼ができる

前のSECTIONでは、パソコンにインストールしているAcrobat DCで署名の依頼をしましたが、Acrobatオンラインサービスを使えば、どのパソコンからもブラウザ上で署名依頼が可能です。画面が複雑でないので、誰にでも簡単に操作できます。依頼された側は、前のSECTIONと同様に、メールのリンクをクリックして署名できます。

署名を依頼する

1 Acrobatオンラインサービス（https://acrobat.adobe.com/）にアクセスしてログインする。「電子サイン」をクリックして「署名を依頼」をクリック。

2 「自分を追加」をクリックすると自分のメールアドレスが追加される。続いて依頼先のメールアドレスを入力。

3 「ファイルを追加」をクリック、またはドラッグで署名してもらうファイルを追加する。タイトルとメッセージを入力し、「次へ」をクリック。

4 右端で自分のメールアドレスをクリックして署名する箇所をクリック。その後「署名フィールドに設定」をクリック。

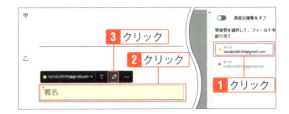

 Acrobatオンラインサービスとは

　SECTION05-01でも紹介しましたが、アドビ社のオンラインサービスです。PDFの変換やPDFページの整理以外に、署名の依頼もオンライン上で可能です。こちらもAcrobat Signと連携しています。ただし、無料のアカウントでは回数制限があるので、頻繁に使う場合は有料のAcrobat DCを申し込むことをおすすめします。

5 同様に依頼先も追加し「署名フィールドに設定」ボタンをクリックしたら、画面右下にある「署名して送信」をクリック。その後SECTION10-07と同様に先に自分が署名する。最後に画面右下の「送信」をクリック。

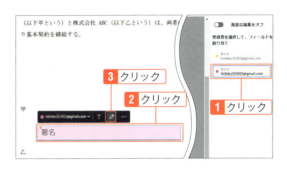

依頼された側が署名を付与する

1 依頼された側にメールが届くので、「確認して署名」をクリック。

2 クリックして署名し、下部の「クリックして署名」をクリックする。

Acrobat DCでデジタル署名を依頼する

設定を変えることでデジタル署名を使える

SECTION07と08では、電子サインを使った電子契約について紹介しましたが、高い法的有効性を求められる場合や、取引金額が大きい契約書では、証明書を使うデジタル署名が必要になります。アドビのAcrobat Signはデジタル署名に対応しているので使い方を紹介します。

デジタル署名を使えるようにする

1 Acrobatオンラインサービス（https://acrobat.adobe.com/）にアクセスする。右上のアカウントアイコンをクリックして、「設定」をクリック。

2 「電子サイン設定」の「設定を編集」をクリック。

ONE POINT　Acrobat DCでデジタル署名を依頼するには

Acrobat DCで署名を依頼する際、デフォルトでは電子サインのみになりますが、ここで解説する方法で設定を変更すると、デジタル署名も使えるようになります。

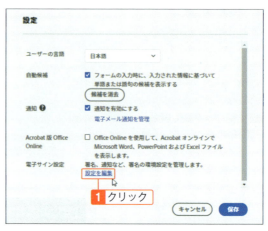

3 左の一覧の「デジタル署名」をクリックし、「ダウンロードして Acrobat で署名」と「クラウド署名」にチェックを付ける。画面右下の「保存」をクリック。

デジタル署名を依頼する

1 「ツール」タブの「電子サインを依頼」をクリック。

2 依頼先のアドレスを入力して「署名場所を指定」をクリック。

3 「高度な編集をオン」をクリックしてオン(青色)にする。「デジタル署名」フィールドを署名する箇所にドラッグ。その後、送信する。

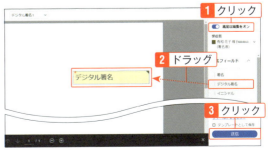

依頼された側がデジタル署名を付与する

1 届いたメールの「確認して署名」をクリックしてファイルを開き、デジタル署名のフィールドをクリック。

2 「ダウンロードしてAcrobatで署名」をクリックして「OK」をクリック。メッセージが表示されたら「OK」をクリック。

> **ONE POINT　TSPのデジタルIDを使う場合**
> 手順2で「クラウド署名」を選択して、TSP（トラストサービスプロバイダー）のデジタルIDを指定することも可能です。

3 下部の「署名を続行」をクリック。

> **ONE POINT　デジタル署名のフィールド**
> デジタル署名を付与するには、デジタルIDが必要ですが、その前に、他にもフィールドがある場合は、ここで入力しておき、「署名を続行」をクリックします。

4 「文書をダウンロード」をクリックしてダウンロードする。

5 Acrobat Reader DCまたはAcrobat DCでPDFファイルを開く。「デジタル署名」フィールドをクリック。

6 追加してあるデジタルIDを選択し、「続行」をクリック。

> **ONE POINT　デジタルIDを使うには**
> 手順6で、「新しいデジタルIDの設定」をクリックして、新しいデジタルIDを追加することも可能です。追加方法は、SECTION10-05を参考にして下さい。

7 パスワードを入力し、「署名」をクリック。メッセージが表示されたら「許可」をクリック。

8 デジタル署名を付与した。

10-10

Great Signで電子契約書への署名を依頼する

誰にでもわかりやすい画面で契約締結や契約書管理ができる

電子契約というと難しいイメージがあるので、わかりやすい画面で操作したいと思っている人も多いでしょう。そこでおすすめなのが、Great Signです。署名欄の作成も契約書の管理もシンプルな画面で操作できます。また、契約書の送信ごとに課金される電子契約サービスが多いなか、Great Signでは締結が完了した時に有料となります。。

署名を依頼する

1. Great Sign（https://www.greatsign.com/）にアクセスしてログインする。左の一覧から「新規書類」をクリックし、「新しいPDFをアップロードして利用」をクリック。

 Great Signとは

オンライン上で契約を締結できる電子契約サービスです。もちろん電子契約関連の法律に準拠しているので、安心して利用できます。Free Planでは、ユーザー数1名、契約書送信件数10件まで無料で使えます。有料のLight PlanやGreat Planでは、ユーザー数や契約書送信件数を無制限で使うことができ、サポートも付いています。

2. 「PDF選択」ボックスをクリックして契約書のPDFファイルをアップロードする。

3. 画面下部の「次へ」をクリック。

> **ONE POINT** Great Signをはじめて利用する場合
>
> Great Signを利用するにはアカウントが必要です。Great Signのトップ画面（https://www.greatsign.com/）で、メールアドレスを入力し、「送信」をクリックすると、メールが送られてくるのでリンクをクリックして手続きしてください。Free Planはクレジットカードの入力なしで利用できます。

 「送付元」になっていることを確認し、「入力を追加する」をクリック

> **ONE POINT** 押印が必要な場合
>
> 手順4の画面で、「印章入力を追加する」をクリックすると、押印欄を追加できます。

 署名欄を署名する箇所へドラッグ。

 クリックして署名する。

> **ONE POINT** 署名の文字サイズを大きくするには
>
> 手順6で[i]をクリックし、「サイズ：大きめ」を選択すると文字が大きくなります。

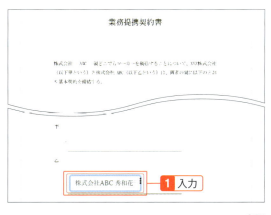

▼をクリックして「送信先」にし、「入力を追加する」をクリックして署名欄を配置する。

> **ONE POINT　入力欄を削除するには**
>
> 間違えて入力欄を追加した場合は、手順7で [︙] をクリックし、「削除」をクリックします。

 書類名を確認し、「署名欄を確定する」をクリック。

> **ONE POINT　テンプレートを使うには**
>
> 手順8の画面で、「現在の状態をテンプレートとして登録する」をオンにすると、次回は契約書をアップロードしなくても、「新規書類」の画面で「テンプレートから選択して利用」をクリックした画面から選択して使うことが可能です。

9 「宛先を設定する」をクリック。次の画面で依頼先のメールアドレスと名前を入力し、「宛先を確定する」をクリック。

10 「確認後送付する」をクリック。

「送付識別名」と「閲覧パスワード」を入力し、「送信する」をクリック。

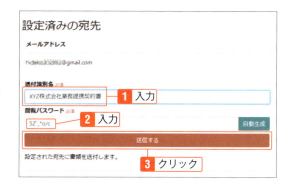

> **ONE POINT 送付識別名**
>
> 送付識別名は、契約書の管理に使う名前なので、わかりやすい名前にします。依頼先には表示されません。

依頼された側が署名を付与する

1. メールが届いたら、「〜ご署名お願い致します」をクリック。別メールで送られてきたパスワードを入力して開く。

2. 署名する契約書をクリック。

署名欄をクリックして入力し、「署名を確定する」をクリック。契約締結が完了する。

> **ONE POINT 契約書を確認するには**
>
> 依頼した人は、管理画面の方の一覧から「処理中」や「締結済」などをクリックして、契約書を見ることができます。

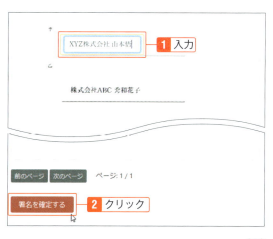

10-11
クラウドサインで電子契約書への署名を依頼する

契約締結から契約書管理まで可能なクラウド型電子契約サービス

クラウドサインは、有名企業や自治体など30万社以上の導入実績がある電子契約サービスです。弁護士ドットコム株式会社による運営で、日本の法律に詳しいため、安心して利用できます。ここでは署名の機能について解説しますが、有料プランでは、チームでの管理や、テンプレートの使用などもできます。

契約書をアップロードする

 クラウドサイン（https://www.cloudsign.jp/）のサイトにアクセスし、「ログイン」をクリックしてログインする。はじめて利用する場合は「新規登録」をクリックしてアカウントを取得する。

ONE POINT クラウドサインとは

クラウドサインは、契約締結から契約書管理までをオンライン上で作業できるクラウド型電子契約サービスです。3つの有料プランがあり、必要最低限の機能でよい場合は「Light」プラン、標準的な機能を使いたい場合は「Corporate」プラン、複数の部署で利用する場合は「Enterprise」プランから選べます。送信ごとに費用がかかりますが、利用できるユーザー数と送信件数は、どのプランも無制限で使えます。また、月5件まで、ユーザー数1名、電子署名＋タイムスタンプが可能な無料プランもあります。ここでの解説は無料プランの画面を使用しています。

 「新しい書類の送信」をクリック。

ONE POINT クラウドサインを初めて使う場合

はじめて利用する場合は「新規登録」をクリックして手続きします。登録したメールアドレス宛にメールが届くので、「登録を完了する」をクリックしてください。

「ファイルを選択」をクリックしてPDF文書を選択する。

> **ONE POINT** アップロードできるファイル形式
>
> 執筆時点ではPDFのみです。ExcelやWordファイルなどはアップロードできません。

文書のタイトルを入力し、「次へ」をクリック。

> **ONE POINT** タイトルの入力
>
> タイトルは、依頼先にも開示されます。また、合意締結書にも表示されます。

「宛先を追加」をクリック。

依頼先のアドレスや氏名を入力し、「OK」ボタンをクリック。

> **ONE POINT** アクセスコードとは
>
> 手順6の「アクセスコード」を使うと、ファイルを開く際にパスワード入力が必要になります。設定したアクセスコードをSMSや電話などで伝えれば、本人にしか開けないようにできます。

10　電子取引や電子契約でPDFを使おう

7 メールアドレスが正しいことを確認する。間違えている場合は「編集する」ボタンをクリックして修正する。「次へ」をクリック。

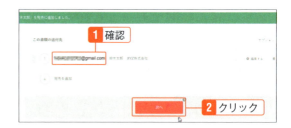

自分の署名欄を作成する

1 「フリーテキスト」をクリックし、自分の名前を入れる箇所にドラッグ。

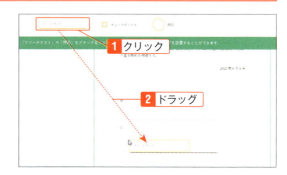

2 ▼をクリックして自分の名前を選択する。

3 「フリーテキスト」のボックスをクリックして、自分の名前を入力する

4 「押印」をクリックし、自分が押印する箇所へドラッグ。

5 「押印」のボックスをクリックし、▼をクリックして自分の名前を選択する。押印のボックスをクリック。

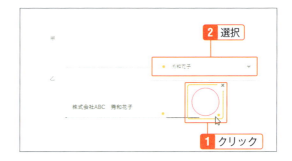

6 自分の名前を入力し、「押印」をクリック。会社名や役職を入れる場合は名前の前にスペースを入れる。

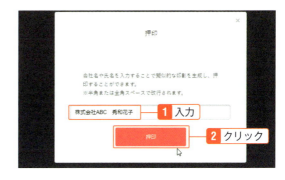

7 自分の署名と押印が入った。

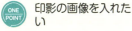

> **ONE POINT　印影の画像を入れたい**
>
> クラウドサインでは、印影の画像をアップロードして使うことはできません。文字入力の押印のみですが、証拠力があるので問題ありません。

依頼先の署名欄を作成する

1 依頼先が押印する位置に「フリーテキスト」をドラッグ。

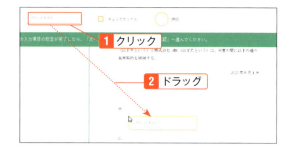

2 ▼をクリックして相手の名前を選択する。

3 「ラベル」に「署名」と入力。

4 「押印」をドラッグする。▼をクリックして相手の名前を選択し、「次へ」をクリック

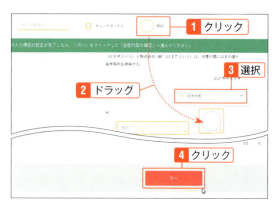

内容を確認して、メッセージを入力し、「送信する」をクリック。メッセージが表示されるので「送信」をクリック。

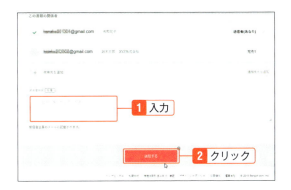

> **ONE POINT　送信するときの注意**
>
> 送信した後に修正できないので、内容をよく確認してから送信してください。

依頼された側が署名を付与する

1. 届いたメールの「書類を確認する」をクリックすると開ける。

2. 「利用規約」をクリックして読み、「利用規約に同意して書類を開く」をクリック。

「署名」のボックスをクリックして入力。続いて「押印」のボックスをクリック。

> ONE POINT **署名を入力できない**
>
> 依頼元のアカウントでクラウドサインにログインしている場合は、依頼先の署名ができないので、いったんログアウトしてください。

4 氏名を入力して「押印」をクリック。

5 「書類の内容に同意」をクリック。メッセージが表示されたら「同意して確認完了」をクリック。

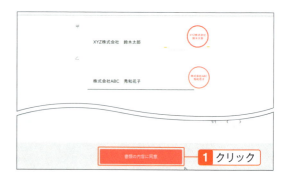

> ONE POINT **その他の電子契約サービス**
>
> 他にも、さまざまな電子契約サービスがあります。GMOサイン (https://www.gmosign.com/) も安心して利用できる電子契約サービスで、多くの企業に導入されています。また、DocuSign Inc. (https://www.docusign.jp/) は、シヤチハタと連携した印影の作成および印影画像のアップロードが可能です。どのサービスを利用するか迷う場合は、無料プランで試して、会社の規模や使用頻度に応じて選択するとよいでしょう。

Chapter 11

PDFで「困った!」「もっと便利に使いたい!」人のためのQ&A

PDFを使っていると、何らかのトラブルが発生することがあります。また、気になることがあっても、どのように聞けばよいかわからなかったりすることもあるでしょう。そこで、このChapterには、よくある疑問や質問を載せました。一通り目を通しておくと、いざというときに役立つでしょう。

11-01 SECTION

PDFのアイコンが変わってしまった

複数のPDFソフトをインストールしていると起きる現象

何らかのPDFソフトをインストールしたり、Windowsの更新があったりすると、PDFのアイコンが今までと違ってしまうことがあります。その場合、ダブルクリックすると別のソフトが起動するので不便に感じるかもしれません。そのようなときの対処法を説明します。

アイコンを変更する

　PDFの閲覧ソフトをインストールしたときに、PDFのアイコンが変わってしまうことがあります。それは、後からインストールしたソフトが「常に使うソフト」として設定されてしまったからです。また、WindowsではPDFを表示するソフトとしてMicrosoft Edgeが設定されているので、更新の際にEdgeのアイコンになってしまうこともあります。

　そのような場合は、Windowsの「エクスプローラー」でいずれかのPDFファイルを右クリックし、「プロパティ」をクリックします。「プロパティ」ダイアログが表示されたら、「全般」タブにある「変更」ボタンをクリックし、ソフトを選択して「OK」ボタンをクリックします。

　この設定をすると、SECTION11-02の説明と同じようにいつも使うプログラムとして設定されます。

◀ファイルを右クリックして「プロパティ」をクリックする

◀「変更」ボタンをクリックする

◀アイコンにしたいソフトを選択して「OK」ボタンをクリックする

11-02

既定とは別のソフトで PDFファイルを開きたい

EdgeやAcrobat以外のソフトを常に使いたいときに

ダブルクリックでPDFファイルを開くと、いつも使う設定になっているソフトが起動します。別のソフトをインストールして、そちらでいつも開きたいといった場合は、設定を変更してください。また、いつも使うのではなく、一時的に別のソフトで開くこともできます。

「プログラムから開く」で選択する

　PDFのアイコンをダブルクリックすると、いつも使うソフトとして設定されているソフトが起動します。別のソフトで開きたい場合は、ファイルのアイコンを右クリックし、「プログラムから開く」をクリックしてソフトを選択します。

　また、そのソフトをいつも使うプログラムとして設定したい場合は、アイコンを右クリックし、「プログラムから開く」→「別のプログラムを選択」をクリックして、既定にしたいソフトを選択し、「常にこのアプリを使って.pdfファイルを開く」にチェックを付けて「OK」ボタンをクリックします（Windows 11の場合）。

▲アイコンを右クリックして「プログラムから開く」から選ぶ

▲いつも使うソフトにしたい場合は、「別のプログラムを選択」をクリックする

いつも使うソフトをクリックし、▶
「常にこのアプリを使って.pdf
ファイルを開く」にチェックを付
け「OK」をクリックする

11-03 SECTION

PDFの一部が文字化けする

自分のパソコンに該当するフォントが無いと起こりやすい

「PDFを開いたら、読めない文字が並んでいた」ということが時々あるかもしれません。この現象は「文字化け」と言われていますが、文字化けしてしまったときの対処法を紹介します。PDFを作り直せないときやホームページ上のPDFが文字化けするときなどにも参考にしてください。

フォントを確認する

　本来の文字が表示されず、判読できない文字になることを「文字化け」といいます。まれに、PDFファイルにフォントが埋め込まれていないために、文字化けが起きることもあります。

　フォントが含まれているかどうかは、Acrobat Reader DCでファイルを開き、「ファイル」メニューの「プロパティ」をクリックして表示されたダイアログの「フォント」タブで確認できます。フォントが表示されていない場合は、フォントを埋め込んで作り直してもらってください。

　また、埋め込んだフォントが破損している場合もあります。作り直せない場合や急いでいる時は、画像として印刷すると読めることがあります。Acrobat Reader DCの「ファイル」メニューの「印刷」から「詳細設定」ボタンをクリックし、「画像として印刷」にチェックを付けて印刷します。

　ホームページ上のPDFページが文字化けする場合は、ブラウザー内蔵のPDFソフトが原因かもしれません。その場合は、他のブラウザーで表示すると解決します。また、パソコンにダウンロードして開くと正しく表示される場合があります。

▲ Acrobat Reader DCの「プロパティ」ダイアログの「フォント」タブで確認できる

▲「画像として印刷」にチェックを付けて印刷すると表示できることもある

WordやExcel文書をPDF化したときにリンク先へ移動できない

Windowsの印刷機能で変換するとリンクが解除されてしまう

通常は、WordやExcelの文書に設定したリンクは、PDFへの変換後もクリックしてリンク先へ移動できます。ですが、「リンクをクリックしても移動できない」といったときには、リンクが解除されてしまっています。その場合は、PDFへの変換方法を変えることでリンクを残せます。

「名前を付けて保存」からPDFにする

　WordやExcelで作成した文書をPDFにするときに、印刷画面で「Microsoft Print to PDF」を選択して変換するとリンクが解除されてしまいます。リンクを維持するには、「ファイル」タブの「名前を付けて保存」をクリックし、ファイルの種類を「PDF」にして保存します。

　なお、リンク先のファイルを移動した場合はクリックしても開けなくなるので、その場合はWordやExcelでリンク先の修正が必要になります。

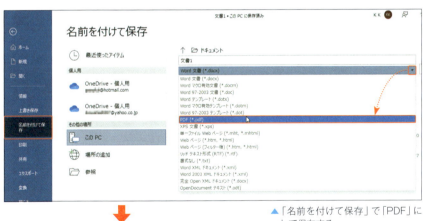

▲「名前を付けて保存」で「PDF」にして保存する

▲クリックしてリンク先へ移動できる

11-05 SECTION

PDFのファイルサイズが大きすぎてメールで送信できない

圧縮機能のあるソフトでサイズを小さくしよう

PDFのサイズが大きくなると、メールで送ろうとしてもエラーになってしまうことがあります。他の形式のファイルを送る時、大きい場合はzip形式などに圧縮しますが、PDFは、圧縮機能のあるソフトを使えば、PDF形式のまま送れます。ファイルサイズの確認方法も覚えておくと役立ちます。

PDFを圧縮する

　高画質の写真が入っている場合やグラフィックソフトからPDFに変換したときは、サイズが大きくなりがちです。そうなると、メールの送信側あるいは受信側の容量制限を超えてしまい、送信できないことがあります。

　そのような場合は、ファイルを圧縮してファイルサイズを小さくしましょう。PDF24 Tools（SECTION05-12）やAcrobat DC（SECTION09-07）で圧縮できます。また、Chapter04のPDF_asやSECTION04-19で紹介したFoxit PDF Editorでも可能です（試用期間を過ぎ場合は有料）。

　なお、ファイルのサイズは、SECTION11-01の「プロパティ」ダイアログの「全般」タブで確認できます。

▲圧縮前のファイルサイズ

▲圧縮後のファイルサイズ

11-06 SECTION

文章のコピーやキーワード検索ができない

コピー不可の設定や、OCR処理がされていないことが原因

「PDFの文字をコピーして、Word文書に貼り付けたい」と思っても、文字をドラッグできず、コピーできない場合があります。また、キーワードの検索ができないこともあります。コピー不可の設定だったり、文字が画像扱いになっていると起こる現象です。他のChapterでも説明しましたが、再度確認しておきましょう。

コピー不可が設定されている

SECTION07-02で説明したように、スキャナーで読み取ったデータは、OCRという文字認識が行われていないと文字をコピーすることができません。文字が認識されないため、当然探したい単語を検索することもできません。

また、SECTION04-08や09-15のように、セキュリティ上コピー不可の設定をしているファイルはコピーできません。コピーしようとしても、コピーのメニューがグレーアウトして選択できないようになっています。

▲文字認識されていないファイルはコピーできない

▲コピー不可が設定されている場合は「コピー」を選択できない

11-07 SECTION

PDFの印刷ができない

印刷不可に設定されているか、プリンターの問題

PDFを印刷できない場合は、「印刷」ボタンをクリックできるかどうかを確認してください。「印刷」ボタンがクリックできない場合は、印刷できないように設定されたファイルです。「印刷」ボタンをクリックできるようであれば、PDFではなく、プリンター側の問題です。

印刷不可に設定されている

　SECTION04-08や09-15のように、印刷不可に設定されているPDFの場合は、印刷ボタンをクリックすることができません。「ファイル」メニューの「印刷」もグレーアウトしています。

　どうしても印刷したい場合は、オンラインサービスのSmallpdf(SECTION05-01のONE POINT参照)の「PDFロック解除」やロック解除の機能があるフリーソフトでできる場合があります。ただし、第三者のPDFを解除する場合は、権利の侵害に気を付けてください。解除するのにパスワードが必要な場合もあります。

　もし、「印刷」ボタンをクリックできて、プリンターが反応しないときには、プリンターの電源が入っているか、プリンターとパソコンが接続されているかなど、プリンターを確認しましょう。

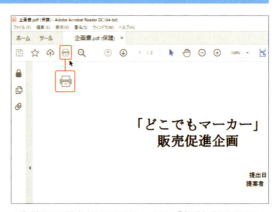

▲印刷不可に設定されているファイルは「印刷」ボタンをクリックできない

▲Smallpdfで解除できる

11-08 SECTION

PDFを開くと「保護されたビュー」と表示される

安全性が低いファイルに「保護モード」が適用されることが原因

PDFを開いたときにメッセージが表示され、閲覧はできるけれど編集ができないといったことがあるかもしれません。悪意のあるPDFから守るための設定なのですが、もし使いづらいと感じるのなら非表示にすることも可能です。ただし、セキュリティの面から、信頼できるファイルのみに行いましょう。

保護されたビューをオフにする

　ネット上からダウンロードしたPDFには、悪意のあるコードが組み込まれている場合もあります。そのようなファイルからパソコンを守るために、PDFリーダーには「保護モード」があります。Acrobat Reader DCでも、安全でない可能性があるファイルを開くとメッセージが表示されます。もしメッセージが表示された場合は、安全なファイルであることを確認し、「すべての機能を有効にする」をクリックしてください。
　このメッセージを使いたくない場合は、「編集」メニューの「環境設定」をクリックし、「環境設定」ダイアログを表示します。左側にある一覧から「セキュリティ（拡張）」をクリックし、「保護されたビュー」を「オフ」にすると今後メッセージは表示されません。
　ただし、セキュリティがゆるくなるので、不審なサイトのPDFには気を付けてください。

▲「保護されたビュー」と表示された

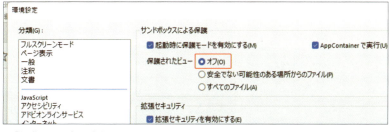
▲「保護されたビュー」をオフにする

PDFにあるリンク先がブロックされる

信頼性が低いと見なされたサイトがブロックされている

PDFに設定されているリンクをクリックしても、リンク先が表示されない場合は、PDFリーダーが悪意のあるサイトにアクセスしないようにブロックしている可能性があります。PDFの表示に使っているPDFリーダーの設定を見直してください。ここでは、Acrobat Reader DCの画面で説明します。

Webサイトのブロックを解除する

SECTION04-17や09-08でPDFにリンクを設定する方法を解説しましたが、リンク先へ移動できないときには、PDFリーダーの設定を見直してください。Acrobat Reader DCの場合は、「編集」メニューの「環境設定」をクリックして「環境設定」ダイアログを表示します。左側の「信頼性管理マネージャー」をクリックし、「Webサイトアクセスの管理」の「設定の変更」ボタンをクリックします。「Webサイト」ボックスにあるサイトをクリックし、「削除」ボタンをクリックします。

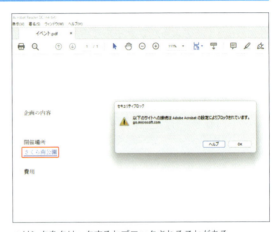

▲リンクをクリックするとブロックされることがある

◀「Webサイトアクセスの管理」ダイアログでブロックしているサイトを解除する

SPECIAL

プロに聞く
「はんこレス・ペーパーレス化推進のポイント」

税務・法務にITソリューションを生み出す、安心で安全な電子契約サービス「Great Sign」を提供する株式会社TREASURY。全国の弁護士、会計士等の士業事務所と連携をとり、電子取引に関する法律、税務の啓蒙活動も行っています。
その株式会社TREASURYの事業開発部部長を務める松下周平氏に、はんこレス・ペーパーレス化が推進する業界の動きや、スムーズに進めるためのポイント、法的な注意点などを伺いました。

株式会社TREASURY 事業開発部部長
松下周平

税理士事務所にて金融機関・不動産会社・会計事務所などの提携開拓や、事業承継・組織再編を行ったのち、全国の士業事務所のコンサルティング企業にて数多くの案件を手掛けた。現在は株式会社TREASURYにて電子契約サービス「Great Sign」を使い、電子化時代の事業展開をサポートしている。

合同会社逆旅出版 代表
中馬 さりの

日本全国・海外を巡った経験を活かし、各地の魅力を発信。現在も書籍やWebコンテンツの制作・出版・販売を行う逆旅出版（げきりょしゅっぱん）の代表を務めながら、年間180日以上旅する暮らし方を実現。

●電子化は本当に浸透するのか？

—— 大前提として、はんこレス・ペーパーレス化は世間に浸透していると思われますか？

　この2〜3年でリモートワークが広まり、わざわざ会社に行って稟議書や決裁書をもらう機会が減ってきたのではと思います。
　とくに弊社がお手伝いしている企業は情報感度が高く、実感値としてはんこレス・ペーパーレス化が浸透してきています。また書類の電子化時代の流れに対しても「受け入れられていくものだ」と皆さん意識してくださっています。
　ただ業種であったり規模であったりが異なりますから、自社がどのタイミングでどんな電子化から始めるべきか各々ずれがあるかと思います。

―― **全体的な流れとして電子化は浸透方向にあるんですね。**

　株式会社TREASURYは各種加盟団体での活動を通して国交省、総務省、法務省などとやりとりをさせて頂きつつ、電子取引に関する法務、税務の啓蒙活動を行っています。
　その中で、電子化に関しては大きく2つの流れが影響していると感じています。

●電子化を推進させる日本政府の動き

　1つ目の流れは時代の潮流。日本政府の動きです。
　実は日本制度を運営する内閣（行政）の人手が足りていません。10年前、20年前に比べて日本国内のビジネスの取引量は、インターネットの普及によって増えています。国税庁ひとつとって考えても、調査をする人が減っていて取引の量が増えているわけですから、どうしても業務効率が必須です。
　問題解決策として海外から人材を募るのもあり得ますが、外国籍の方に国家の業務を任せるのも簡単ではありません。
　そこで、目下の問題として日本の運営自体を効率化しなければということで、さまざまな取引や民間での経済状態・経済活動の管理が電子化されつつあります。

●技術革新は不可逆的なもの

　2つ目はユーザーが便利だと感じる気持ちの変化です。
　電子契約書を使ってみたことはありますか？

―― **先方の指示に従って送り返すぐらいの対応ですね。**

　そうですね。例えば「契約書を送る」という業務だけでも、今まで新しく契約を結ぶ場合は契約書を作成し、法務部のチェックを受けて、印刷して、封筒を用意して、返信用封筒を入れて先方に送っていたかと思います。
　これが電子化された場合、データをアップロードして、宛先を入れて、パスワードをつけて送るだけで済みます。「こんな簡単なんだ」と驚くユーザーも多くいらっしゃいます。
　スマートフォンを使った後にガラケーに戻した方がほとんどいないのと同じように、こういった技術革新は不可逆的なものです。ユーザーにとって便利な物は自然と浸透していくと思います。

―― 日本政府の動きと、ユーザーの利便性。2つの流れによって電子化が浸透していくと考えられているんですね。

はい。浸透しているというよりも、浸透させるだろうなと感じています。

●電子化の障壁や業界の問題点

―― 電子化の障壁は、どんなものがあるのでしょうか？

障壁は、端的に言うのであれば先入観でしょうね。
できる・できないというよりも、今までの成功体験がありますから、やり方を変えることが根本的に嫌だと感じる気持ちはわかります。システム的な機能がどうというよりは、経営陣が新しいものを取り入れる姿勢や事業戦略が問題になるかと思います。

ただ、よくよく考えてみていただきたいのですが、電子化をしたとしても、別に紙にはんこを押していいんです。

紙という商習慣って、よく考えてみれば不思議なものですよね。
紙はただの繊維の塊ですし、それにお互いのはんこという名のものを押して署名したら、裁判所では「その事実があったであろう」という前提で裁判が進みます。これは、あくまで人間が作ったルールです。でも、この文化が150年以上に渡って使われているから当たり前の社会通念になっています。

我々は電子を使った商取引・ビジネスの社会通念を、新しく作っていく時代に生きています。紙でやってもいいし、電子でやってもいい時代です。

―― 我々が今まで培ってきた手紙やはがき、年賀状などの習慣はなくなりませんからね。

はい。私たちはタイムスリップして、突然新しい文化が主流になっている時代に放り込まれたわけじゃありません。あくまでポジティブに、選択肢や戦略の幅が増えたと考えていただきたいです。

―― いきなり色々変えなければいけないわけではないとお聞きして、ほっとしました。なぜか、とにかく何か対応しないといけない気がしていたので。

コロナ禍の影響をうけたこの2年間、政令省令や総務省、法務省から電子署名法（電子署名及び認証業務に関する法律）に関する見解が多く出されました。

電子署名法とは、電磁的記録がいつ・何を・誰が行うのかを満たせば、紙と同じ証拠として効果が発揮できるという法律です。

それ以前は、例えば証拠として裁判で「こういうメールがきています」と提出しても、メールはいくらでも改ざんできるという点から、裁判官がどう捉えるかわかりませんでした。

そこで電子署名法を制定することで、旧来の署名捺印があるものを扱っていた書類と同じように、データに関して証拠として認定する基準を定めました。これを期に、徐々に電子の取引が伸びたんです。つまり、ルールがどんどん変わっている状態なんですね。

●「これも電子化できる」と感動してもらえる Great Sign

―― 株式会社TREASURYの方針や、Great Signに関しても教えていただけますか？

Great Sign（株式会社TREASURY）は、創業当初から広告を利用せず、主に士業向けにサービスを提供しています。

株式会社TREASURYは、今は電子取引を始めとしたデジタルシフトを広めていくべき時代だと考えており、共感してくださった士業の先生方や事業者の方々に紹介という形で広めていただき、ユーザーを獲得しています。

Great Signのこだわりはプラン内容です。他社が色々なプランやオプションを用意する中で、我々は究極のプライシングとして、一種類のプランだけを提供しています。

月額費用の中に **まるッと** 込み込みなのが Great Sign

コンプライアンス	タイムスタンプ・電子署名	◎
	ユーザー数	無制限
機能	承認権限・ワークフロー	◎
	書類アップロード/一元保管・管理	◎
	電子契約書庫データ容量による追加料金	無制限
価格	最低契約期間	月額
	月額基本料金	8,580円
	従量課金	1締結：165円

Great Signは電子契約だけではなく電子帳簿保存法の保存要件を満たす電子書庫機能や、決済機能、反社会勢力チェックとしても使えます。

先ほど「電子化が浸透することで選択肢や戦略の幅が増えたと考えていただきたい」とお伝えしましたが、例えば特定の契約だけ電子化したり一部の機能だけを利用したりするのも可能です。

―― **電子契約はいずれやらなきゃいけないけれどなかなか始められない。でも、反社チェックは今すぐやりたいという会社もありそうですね。**

　まさにその通りです。我々としては何かしら必要なところから電子化することで「意外と簡単にできるんだ」とポジティブに捉えてもらい、「あれもできるんだ」と感動してもらえたら、とても嬉しく思います。

●インボイス制度に対応するための電子帳簿保存化

―― **Great Signの中で、窓口になっているような需要の高い機能は何でしょうか？**

　やはり現在は電子帳簿保存法への対応機能です。2023年10月までに適格請求書（インボイス）発行事業者に登録しないと、消費税に影響を与えてしまいますからね。
　Great Signと言っているのに、電子書庫として需要が高まっているというのはちょっと情けない部分なのですが……（笑）。

―― **それだけ需要があるということですね。**

　やはり政府もちゃんと考えていますからね。2022年1月に電子帳簿保存法の改正が施行されたのですが、2023年10月にインボイス制度が始まります。
　インボイス制度が取り入れられる理由は、適正な税額の把握と、仕入税額控除を厳格化するためです。
　経済活動内での税の流れが追跡できない程増えてしまったので、少しでも調査をスムーズにするためにデータでの管理・保存を推進しています。

―― **そのデータでの保存方法を指定しているのが、2022年に改正された電子帳簿保存法ですね。**

　はい。電子帳簿保存法では、紙から電子にスキャンしタイムスタンプさえ押してくれれば、スキャンデータを原本として紙は廃棄していいとしています。電子から紙へ印刷するのは2024年1月からは原則禁止ですね。電子メールやECサイトでの領収書は、わざわざ印刷しないでほしいということです。

―― **そして、2023年にはインボイスによって請求書の発行方法が適正化されるということでしょうか。**

そうですね。国税庁・経済産業省はインボイス制度を改革の一丁目一番地だと考えています。第一コーナーとして電子帳簿保存法の改正を施行し情報を整理して、第二コーナーで適格請求書（インボイス）を導入して、新しい電子での税務調査を実現していこうという流れでしたが、今回第一コーナーの電子帳簿保存法の一部が2年間宥恕、つまり2年間適用が延期になったという状態です。

2023年に始まる一丁目一番地のインボイス制度についてはこのような状況のため、確実に実現していくよう政府も力を入れていると感じています。

―― **まさに政府主導のもと、ルールが作られている段階なんですね。**

そうですね。色々な判断がされながらルールが形成されていますが、ある程度この方向性は間違っていないと私も思います。正しく申告している人と、不正している人が、同じ扱いを受けてしまうのはおかしいですから。

ただ今までの紙ベースでは不可能だったことを実現するための変更なので、システムの導入や対応が必要になりますから、今まで通りでいいというのは甘い認識だと思います。

正しくやっている人にとっては大きな影響こそないものの、政府もしっかりと議論し、何かしらのシステムを絶対に導入しないと税制的に不利になってしまうことが著しくないように努めています。

―― **ルールが変わっていく今、やっておくべきことはありますか？**

顧問の税理士さんや、お近くの士業の先生方にぜひご相談して、自分がどういう状況かを調べましょう。仕入税額控除を取れなかったとしても、簡易課税という「大体この業種だったら消費税はこれぐらいです」という規定に従って消費税を算出する制度ものがあります。

簡易課税で納めた方がいい場合もあるので、税にかかわる部分に関しては是非まわりの専門家の方にご相談してみてください。

規模感としては、個人事業主じゃない場合は何かしらのシステムを導入した方が最終的に効率的だと思います。

●署名捺印の代わりとなるタイムスタンプ・電子署名とは

── はんこレス・ペーパーレス化において、署名捺印の代わりとなるタイムスタンプ・電子署名についてもお伺いできますか?

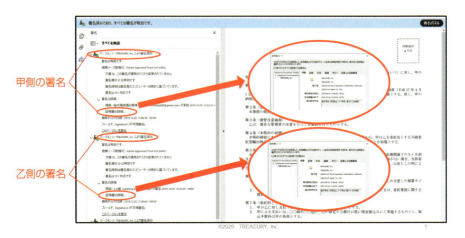

このように、電子署名はいつ・何を・誰が行ったのかが記入されています。

ですが「こういった書面パネルを見たことありますか?」とお聞きすると、弁護士の先生であってもまだ8割の方が「ない」と言われます。

── この形式はサービスによって異なるんでしょうか?

そうですね、こちらはGreat Signのものです。こちらの電子契約書は二者間契約なので比較的わかりやすい表示になっています。

── 普段から使っているPDFやAcrobat Readerが、この機能に対応していることに驚きました。このタイムスタンプ・電子署名があれば、いわゆる証拠として使用できるのでしょうか?

総務省からの指針を見ると「電子署名・タイムスタンプは、インターネット社会における「いつ」「何を」「誰が」を担保するための「証拠」であり、電子文書の原本性が確認できる有力な手段」と明記されています。

ただ、それをどうやって改ざん不能にするかは法律で明記されていません。

例えば、AさんがBさんに電子証明書を送るとします。操作自体は簡単。データをアップロードして、パスワードを入力し、宛先を入れるだけです。ですが、その間にデータはイ

ンターネット空間上を通り、暗号化されています。そうでないと、第三者が取り込んで内容を書き換えることも可能であるためです。

―― **オンライン会議で第三者の介入もありましたね。**

はい。オンライン会議でもあり得ます。

AさんはBさんと話しているつもりが、Bさんではない第三者が映ってしまうケースですね。顔をあわせてやりとりするのが初めてであれば、第三者であると気付かずに、そのまま会話を続けてしまうかもしれません。

電子署名・認証のしくみ（公開鍵暗号方式）

出典：総務省「電子署名・認証・タイムスタンプ　その枠割と活用」
https://www.soumu.go.jp/main_sosiki/joho_tsusin/top/ninshou-law/pdf/090611_1.pdf?fbclid=IwAR3Plki
UPIXvGNwHbXrCmr4MCGWnHRbwsdZZZ0cMoFRtMWSF3G6Ix_OtuEw

電子署名の場合は、Aさんが暗号化した契約書がインターネット空間上を通してBさんに渡ります。その間に認証局というところを通ります。Bさんは認証キーを受け取って、暗号化されたものを復号します。

この流れをとることで、「いつ」行われたのかはシステムのログに残り、「誰が」行ったかはAさんとBさんがそれぞれ把握し、「何を」したのかはハッシュ値に変換された電子デー

タで担保できます。

　ただ、実はこれには弱点があります。
　例えば認証局を経由させるGreat SignとAさんとBさんの三者が組んで、全員のサーバー情報を特定の日時に戻したら、その日時の契約書が作れてしまうんです。

―― **「いつ」にあたる日時の情報が、改ざんされてしまう可能性があるんですね。**

　海外の裁判は証拠をたくさん並べて戦わせる形です。そのため、証拠ひとつひとつの価値はそれほど高くありません。
　しかし日本の場合は、証拠として出せるかどうかを事前に裁判所が決めます。裁判の前に手札をしっかりと用意して、勝負するイメージです。
　そのため、こういった合意形成の証として不十分な可能性があるのは好ましくありません。

　そこで、タイムスタンプを日本の時刻認証局（TSA：Time Stamping Authority）が提供する時刻認証サービスを利用して作成します。これをすることで、その日時に確かにそのデータが存在し、過去に遡って作られていないと証明できます。また、ハッシュ値を利用して改ざんされていないことも分かるようになります。

―― **タイムスタンプ・電子署名が入っていない場合はどういった扱いになるのでしょうか？**

　よく「タイムスタンプと電子署名が入ってなかったら証拠にならないんですか」と聞かれますが、証拠にはなります。ただ、合意形成の証としては水準が低く、いくらでもひっくり返せる形です。

　例えば、合併されてしまい今はなくなってしまったある電子契約サービスでは、タイムスタンプとシステムログを合意形成の証として使用していました。
　ですがタイムスタンプのみではあくまでいつ行われたかを証明する要素でしかなく、そもそも電子署名法の要件を満たすには不十分でした。

　様々な電子契約サービスを見てみると、色々なプランがあります。まずフリープランに多く見られるのですがタイムスタンプや電子署名は入っていないものも電子契約として提供されているものがあります。
　電子契約サービスを導入する際に締結数や送信数によって従量課金がないものは気を付けた方が良いかもしれません。なぜなら私達のような電子契約サービスを提供している企業にとってもタイムスタンプ、電子署名は必ずお金がかかります。政府から発行されているものを買って埋め込むためです。

—— とりあえずフリープランを選んだら「思っていたのと違った」というケースもありそうですね。

そうですね、そもそも自分が使わなければ関係ないという話ではないんですよね。

取引相手と電子契約書を送りあうとなった時に、相手が契約しているサービスやプランによってタイムスタンプや電子署名が入っていない場合は、詳細を聞かなきゃいけないんです。このばらつきはしっかりと正していきたいなと思っています。

—— **他社が提供するサービスについてはいかがでしょうか？**

GMOサイン様やCloudSign様はちゃんとタイムスタンプや電子署名を入れていて、最低限の趣旨を守っています。

外資系サービスは、日本の裁判で使う際にちょっと心配だなという印象です。

とはいえ、どちらにせよ電子でのやりとりはログが残りますし、誰が署名捺印したのかもわかります。

対して、はんこは物理的に奪って押されてしまうこともあります。部長が外出先から部下に連絡して、はんこを押す指示をしていることもよくありますよね。今の社会通念上、実印は経営層しか持ってないとされているので、悪用された場合の危険性も意識しておきましょう。

●はんこレス・ペーパーレス化における法的な注意点

—— はんこレス・ペーパーレス化において、法的な注意点をいくつか教えていただきたいです。

まず、よく聞かれるのは「電子契約時に相手方の職員が承認した場合はどうなるのか」という点ですね。事前のリーガルチェックでちゃんと決裁権をもつ人の承諾をもらってくださいという話なのですが、これは紙の場合と変わりありません。

紙ベースであっても契約前のリーガルチェックは相手方の決済者を含めて行うと思いますし、郵送した契約者に対してはんこを押すのは経営層の方々です。とはいえ、押されたはんこが実印かどうかまで調べることも稀ですよね。

そういった今まで気にならなかった部分まで、電子になると不安になる方がいます。電子契約がハッキングで乗っ取られる可能性があるのと同じように、はんこも物理的に奪われてしまうことや印影から作成されてしまうケースが考えられます。リスクはどちらにも絶対にあるんです。

――どんな悪用のケースであっても最終的には裁判で主張するしかないのですね。

　電子契約の特徴として、コピーしても、USBにいれても、メールに添付しても、タイムスタンプと電子署名は効力を失わないという点もおさえておきましょう。

　例えばAさんとBさんが契約を結び、それを解約しようとなった場合、電子契約書を「消しましたよ」と言われても信用してしまってはいけません。画面から削除していたとしても、USBにコピーが残っているかもしれませんからね。解約する場合は、改めて解約契約を結びます。

　紙の場合は割印を押しますので、それを確かめて、目の前で破棄してもらえばある程度の信用ができます。これは紙の良さ、電子の不便さではありますね。

――目の前で破棄するにしても、契約件数が膨大になれば管理するのも大変ではと思います。電子と紙のメリット・デメリットの理解が必要なのですね。

　また、電子契約において、相手が誰かというのは「推定」です。

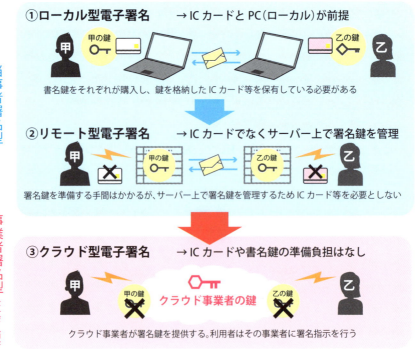

例えばAさんとBさんがGreat Signを使って契約する際は、Aさんから指示を受けて、Great Signが電子署名を作り、Bさんに送ります。その後AさんとBさんがそれぞれ確認し、署名指示をGreat Signに行うことで締結します。これは「立会人型」と呼ばれる方法です。

対して、「当事者署名型」の場合はAさんが自分の電子署名を作って、Bさんに送ります。Bさんも自分で電子署名を作って、自分で埋め込み対応します。

この電子署名を当事者が作るのはとても手間がかかります。法務局に申請して、本人確認郵便が届くので家で待って受け取って、USBで管理をして、毎年更新しなくちゃいけません。なので、当事者署名型はほとんど普及しませんでした。

「当事者署名型」の場合、電子署名の事業者を利用する以上、メールアドレスで誰が契約者かを判別する形になります。ここが「電子署名及び認証業務に関する法律の第二条 本人による署名とする」という点において問題はないのかという話になり、結論としては、セキュリティーが確保されていてサービス提供者の意思介入がありえない状況であればメールアドレスに基づき本人が行ったと推定することになりました。

この推定とは、法律用語としては「その前提で行う」という意味です。なので、全く争えないわけではなく、異議を申し立てる裁判はできます。そのため、不動産などリスクが大きい契約に関しては、他の書類も組み合わせるなどのルールを新しく作っている段階です。

やはり我々は新しいルールが増える時代を生きていて、増えたルールというのは基本的に必要なものなのだと思いますね。

—— **立会人型をとる以上、サービス提供事業者を選ぶにも注意が必要そうですね。**

「電子契約って相当儲かるんでしょ」と参入し、知識がほぼないにも関わらずサービスを提供している事業者も、恐ろしいことですが存在します。

タイムスタンプや電子署名に関して「主務三省（電子署名法の主務官庁である総務省・法務省・経済産業省）の指針などを見ていますか」という話になった時に「それ何ですか？」と言いながら電子契約を提供している会社もありました。

そういうサービスだと知らずに使用して、認証パネルを見てみたら使える状況じゃなかったというのをきっかけに、ご相談くださる方もいますね。

―― もしかすると、今まで電子契約だと思い込んでいた取引は情報が足りていなくて、ただ電子データを保存しただけだったのかもしれません。

　実は、電子契約をしているにも関わらず、原本が紙だと言われてしまう事例がありました。ある建設業の会社が、印紙税削減のために工事受託契約を全て電子で行い、3000万円の節税をしました。

　ですが、税務調査で全ての受託契約書の甲乙署名捺印の上に「一部ずつ保管する」いうよくある言い回しが記載されていたために、一部ずつ保管するなら原本は紙であると指摘された事例もあります。原本が紙なら印紙税が発生します。

　なので、条文にも「甲と乙は電子署名を行う」と、記載しましょう。

● Great Signの導入による変化

―― Great Signを導入された方々が、どのように変化されたか具体的な事例を教えていただけますか？

　電子契約のいいところは、一部から始めても十分に費用対効果を出しやすいという点だと思います。

　とくにインパクトが大きいところですと、印紙税の削減です。

　例えば、工事などの受託であれば、3000万円ほど1件受託すれば2万円ほどの印紙税が発生します。Great Signを利用して電子化した場合は月額の基本料金8,580円（税込）。年間9万4380円です。

―― 年間の件数によっては大きな削減に繋がりますね。

　印紙税が削減できることは国税庁も認めていますから、ポジティブな気持ちで取り入れていただけると嬉しいです。

　また、電子署名パネルを開いて見てみたら、全部破損していたというのもあります。

　破損していた場合、検証ができない状況なので、取り直しという形になります。紙でイメージするとすれば、はんこを押した上にコーヒーがかかってしまっていて、印影がわからないといった状況です。おそらくお互い納得したんだろうとは予想できますが、相手が異議を申し立てた場合、印影がわからなければ裁判所が認められない可能性もあります。

―― Great Signの導入によって社内フローが変化する部分もあるのでしょうか。

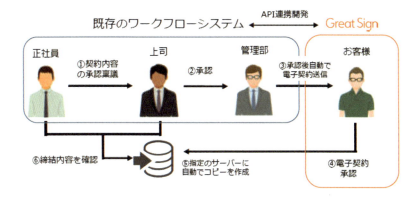

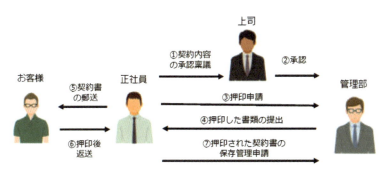

はい。とくに稟議関係は大きく変わるかと思います。

例えば、紙ベースの運営であれば「承認稟議」「押印申請」「契約書の保存管理申請」の3つを社内ワークフローとして行っている場合が多いかと思います。とくに管理部門は実際に押印されている稟議書と、お客様に郵送する契約書に違いがないか確認しているケースがあり、人的コストがかかっていました。

これを電子化した場合、データの連携を行う事で承認稟議が通った契約書は電子で顧客に送信され、締結後も自動で保存されます。

―― **社内の承認フローと外部の契約フローを一致させてしまうイメージですね。**

はい、一括管理する形です。

ワークフローを整えることもできますし、押印申請を受けてはんこを押した契約書を紛失してしまうなど、紙ベースの保管で考えられるリスクの回避もできます。

―― **電子化によって色々なことが変化している時代なのだと勉強になりました。ありがとうございました。**

そうですね。まさに新しい社会通念が作られている時代です。ですが、使用しているものはPDFやAcrobat Readerなど今までも身近にあったものです。新しく作られているルールに対応するための機能は、すでに手元にあります。

今回のお話が、何かしら電子化にふみだすきっかけになれば嬉しいです。

用語索引

記号・アルファベット

@	80
Acrobat Pro DC	20,204
Acrobat Reader DC	20,24
Acrobat Sign	245
Acrobatオンラインサービス	111,250
「Acrobat」タブ	205
Adobe Scan	22,150,198
CubePDF	21,83
Document Cloud	76
Dropbox	138,141,158
Foxit PDF Editor	22,106
Foxit PDF Reader	21,100
freee会計	178
Googleドキュメント	131,156
Googleドライブ	130,141
Great Sign	256
Kindle	184
LINE	148
Microsoft Print to PDF	82
netprint	162
OCR	133,170
PDF/A	206
PDF/X	206
pdf_as	21,88
PDF24 Tools	110
PDF画像抽出	120
PDFコンバーター	110
PDF最適化	96,210
PDFプロパティ設定	90
PDFページを並べ替える	122
PDFを書き出し	165,207
PDFを保護する	126
ScanSnap Cloud	176
ScanSnap Home	171
Self-Sign デジタルID	237
Smallpdf	113
Snipping Tool	202
TSP	254
Wordアプリ	160

あ行

アカウントを追加	141
圧縮	126,210
アドビアカウント	74
印影	228
「ウィンドウ」メニュー	46
閲覧モード	32
オーバーヘッドスキャナー	169

か行

重ねて表示	46
カスタムスタンプ	232
画像ファイルをPDFに変換	97
「画像をコピー」ボタン	65,192
簡易検索	47
キャリアシート	180
境界線のスタイル	103
強調表示	105
共有	78,134,139,149
共有とエクスポート	157
クラウドサイン	260
クリーンアップ	151
クリックして文書をパン	35
グレースケール	69,90
結合	93,121,166,209

権限パスワード.....................91,222
効果.............................196
高度な検索........................48
高度な最適化......................210
このファイルを他のユーザーと共有........78
コメント.......................50,60
コメントツールバー....................50

さ行

サブスクリプション...................164
サムネール.........................37
しおり..........38,93,100,146,185,194
自動スクロール......................40
小冊子............................70
証明書........................240,242
署名...................128,155,234,250
新規添付ファイルを追加.................62
信頼性管理マネージャー................276
「ズームイン(アウト)」ボタン...........33
透かし.......................129,214
スクロールを有効にする................31
スタンプ.....................58,68,226
スナップショット....................66
スナップの種類.....................73
墨消し...........................221
セキュリティ設定..................91,222
測定タイプ........................73
「その他のツール」ボタン...............32

た行

タイトルバー........................28
単一ページ表示......................31
チェックボックス...............107,219
チェックマーク..................55,154
注釈.............................152
「注釈をフィルター」ボタン..............60

抽出.........................95,120
著作権情報センター...................168
通知..............................28
ツールタブ.........................28
ツールバー.........................28
ツールパネルウィンドウ...............28
次のページを表示....................30
手書き............................104
テキスト注釈を追加...................50
テキストと画像の選択ツール...........35
テキストとして保存..................67
テキストに取り消し線を引く............57
「テキストを検索」ボタン..............47
テキストをハイライト表示.............56
デジタルID........................237
デジタル署名.............236,243,252
手のひらツール......................35
電子印鑑.........................226
電子契約サービス...............245,266
電子サイン....................245,250
電子署名.........................243
電子帳簿保存法....................177
添付ファイル...............42,62,147
透明テキスト......................170
ドキュメントスキャナー.............168
ドロップダウンリスト................220

な行

ナビゲーションパネルボタン............28
並べて表示........................46
入力と署名....................55,154
ノート注釈.........................59

は行

パスワード..........91,127,189,222,224
非表示情報を完全に削除...............221

描画ツール	52
「描画ツールを使用」ボタン	54
「表示」メニュー	29
表示を回転	41
ファイルタブ	28
「ファイル」メニュー	76,88
「ファイルを印刷」ボタン	69
ファイルを比較	216
フォーム	107,217
フォームの自動認識	107
フォントサイズ	51
フォントの色	51
複合機	169,172
フラットベッドスキャナー	168
フルスクリーンモード	34,196
プログラムから開く	27
「プロパティ」ダイアログ	53
分割	95,118,208
ペイント3D	229
ページコントロール	36
「ページサムネール」ボタン	37
ページ番号	125,213
ページ表示	29
ページモード	121
ページを整理	208
ヘッダー・フッター設定	98
ヘッダーとフッター	212
ヘルプ	28
ホームタブ	28,100
保護されたビュー	275
ホワイトボード	198

ま行

マーカー	56,105,153
前のページを表示	30
「メインツールバーを表示」ボタン	33
メニューバー	28
メンション	80
ものさしツール	73
モバイルスキャナー	169,173
モバイル向けプレミアムツール	164

や行

「ユーザー情報の設定」画面	68
読取パスワード	91

ら・わ行

ラジオボタン	218
リストボックス	108
リッチメディア	215
リンク	102,134,139,211
ルーペツール	33
ログイン	28
枠線	53

※本書は2022年5月現在の情報に基づいて執筆されたものです。
本書で紹介しているソフトやサービスの内容などは、告知無く変更になる場合があります。あらかじめご了承ください。

■著者
桑名 由美（くわな ゆみ）
パソコン書籍の執筆を中心に活動中。著書に「Google Workspace 完全マニュアル」「はじめてのGmail」「LINE完全マニュアル」などがある。

著者ホームページ
https://kuwana.work/

■取材/執筆協力
染谷昌利
中馬さりの

■イラスト・カバーデザイン
高橋 康明

仕事で役立つ！
PDF 完全マニュアル [第2版]

| 発行日 | 2022年 6月25日 | 第1版第1刷 |

著　者　桑名　由美

発行者　斉藤　和邦
発行所　株式会社　秀和システム
　　　　〒135-0016
　　　　東京都江東区東陽2-4-2　新宮ビル2F
　　　　Tel 03-6264-3105（販売）　Fax 03-6264-3094
印刷所　三松堂印刷株式会社　　　Printed in Japan
ISBN978-4-7980-6751-3 C3055

定価はカバーに表示してあります。
乱丁本・落丁本はお取りかえいたします。
本書に関するご質問については、ご質問の内容と住所、氏名、電話番号を明記のうえ、当社編集部宛FAXまたは書面にてお送りください。お電話によるご質問は受け付けておりませんのであらかじめご了承ください。